SILVIA MI

CU00696767

ÉXODO

DIARIO DE UNA REFUGIADA ESPAÑOLA

Edición a cargo de José Colmeiro

Icaria ❧ Antrazyt
MUJERES, VOCES Y PROTESTAS

Este libro ha sido impreso en papel 100% Amigo de los bosques, proveniente de bosques sostenibles y con un proceso de producción de TCF (Total Clorin Free), para colaborar en una gestión de los bosques respetuosa con el medio ambiente y económicamente sostenible.

La presente obra ha sido editada con la subvención del Instituto de la Mujer (Ministerio de Igualdad)

Diseño de la cubierta: Josep Bagà
Imagen de la cubierta: original de Francisco Carmona
Ilustraciones dentro del texto de Francisco Carmona para la revista *Hoy*

© Herederos de Silvia Mistral
© de esta edición
    Icaria editorial, s. a.
    Arc de Sant Cristòfol, 11-23
    08003 Barcelona
    www. icariaeditorial. com

Primera edición: febrero de 2009

ISBN: 978-84-9888-062-5
Depósito legal: B-53.157-2008

Fotocomposición: Text Gràfic

Impreso en Romanyà/Valls, s. a.
Verdaguer, 1, Capellades (Barcelona)

ÍNDICE

ÉXODO: DIARIO DE UNA REFUGIADA
ESPAÑOLA

Yo ya no soy yo, ni mi casa es ya mi casa.

FEDERICO GARCÍA LORCA,
Romance sonámbulo

A mí me gustaría cruzar el mar y dejar esta
casa de guerra.

FEDERICO GARCÍA LORCA,
La casa de Bernarda Alba

Las mujeres son las grandes olvidadas de la
Historia.

HANNAH ARENDT

INTRODUCCIÓN
I. MUJER, EXILIO Y MEMORIA

La obra autobiográfica escrita por mujeres españolas exiliadas ha sido objeto de creciente atención en los últimos años, propiciada por las nuevas corrientes críticas que han mostrado especial interés por examinar y rescatar áreas previamente marginadas de la historiografía literaria tradicional. Tal ha sido el caso sintomático de la literatura del exilio —que todavía ocupa un espacio fantasmal, siempre a medio descubrir y sin fácil ubicación— así como de la práctica autobiográfica y de los textos de memoria personal por las que se han interesado los estudios de género para la reconstrucción de una historia literaria no hegemónica y patriarcal. Las teorías postestructuralistas y postmodernistas han privilegiado el estudio de las exclusiones, la condición exílica (Bhaba, Ilie, García Canclini) y la fragmentación y construcción discursiva del yo (Lejeune, Derrida). Asimismo, los estudios feministas han impulsado el reconocimiento de la literatura escrita por mujeres, y los estudios culturales han ampliado su campo de actuación a otras formas de producción discursiva, no canónica, dedicando su atención a textos híbridos como testimonios y memorias. Poniendo en un lugar preferente los términos de exilio, mujer y memoria, estas corrientes plantean un descentramiento de la producción cultural desde los márgenes, lo que continuamente reescribe la historia cultural española del siglo XX.

A pesar de la abundancia de textos autobiográficos concebidos a raíz del exilio republicano, pocos diarios personales de la experiencia de los primeros días del exilio han visto la luz. El libro de Silvia Mistral, *Éxodo: Diario de una refugiada española* (1940), constituye uno de los primeros testimonios literarios y también uno de los más reveladores y elocuentes por lo que ofrece de elaborada crónica personal de una experiencia colectiva de desarraigo y negociación de la identidad vista desde el punto de vista de una mujer de a pie. Así lo han notado varios críticos que han señalado la relevancia literaria y testimonial y el carácter singular de esta obra. Rosa María Grillo opinaba en 1996 que *Éxodo* de Mistral y *Saint Cyprien, plage* de Manuel Andújar «quizás sean las mejores muestras —desde el punto de vista del resultado literario— entre las novelas testimonio centradas sobre la vida de los campos y en general sobre las difíciles condiciones de los primeros meses en Francia» (Grillo, 1996: 445).[1]

Lo cierto, sin embargo, es que los abundantes méritos de la obra no se han visto reflejados en la atención crítica recibida, salvo algunas contadas excepciones, como veremos más adelante. En este sentido Silvia Mistral es víctima de un doble exilio, no sólo el exilio político y el desarraigo cultural, que conllevan el exilio de uno mismo, sino el exilio del silencio y del olvido, contra el cual se revela la escritura autobiográfica. Este abandono relativo se puede explicar quizás por una combinación de factores coyunturales que han relegado esta obra a un cierto limbo de semiolvido. Por una parte, la dispersión geográfica, anterior a la Guerra Civil, de la trayectoria transatlántica de la familia de Silvia Mistral, marcada por la emigración familiar y el exilio político. Por esa razón, Silvia Mistral sólo vivió de adulta en España los últimos años de la Segunda República, saliendo nuevamente exiliada a los veinticuatro años. Al ser mucho más joven y mucho menos conocida públicamente que otras mujeres republicanas exiliadas, políticas e intelectuales, la huella que ha dejado en la memoria colectiva española ha sido prácticamente nula. Silvia Mistral no era una figura política de gran talla pública, como Dolores Ibárruri o Federica Montseny, dirigentes de partidos u or-

---

1. A pesar del componente literario de estas obras, resulta altamente problemático el uso del concepto de «novelas testimonio» aplicado a estos textos autobiográficos. Bettina Pacheco reitera el comentario de Grillo, también aplicando el concepto de «novela testimonio» a estas obras. Michael Ugarte, por otro lado, encuadra la obra de Mistral dentro del género de «autobiographical novels» (97), pero no la llega a comentar. La obra de Mistral en ningún momento se presenta como una novela o ficción.

ganizaciones sindicalistas, a las cuales ni siquiera la general desmemorialización del franquismo llegó a borrar plenamente de la memoria colectiva. Tampoco era Mistral una autora conocida que se moviese en círculos privilegiados, ya sea por su distinguido origen social como Constancia de la Mora, o por ser casada con un escritor canónico, caso de Zenobia Camprubí, María Teresa León o María Lejárrega. La joven carrera periodística de Silvia Mistral, marcada por su doble estatus marginal de origen y clase social, como hija de familia emigrante y exiliada y su condición de autodidacta proletaria cercana al movimiento libertario, quedó truncada casi nada más empezar. Igualmente, su trayectoria profesional en el exilio tras la Guerra Civil fue particularmente ardua, teniéndose que dedicar como otros muchos intelectuales exiliados, y particularmente mujeres exiliadas, a una literatura alimentaria de supervivencia.

La difusión de *Éxodo* fue también bastante limitada. La obra apareció originalmente en forma serial en 1939 en la revista semanal mexicana *Hoy*, y al poco tiempo fue publicada como libro por Ediciones Minerva, una pequeña editorial fundada por su marido tras su llegada a México, el también exiliado periodista libertario español Ricardo Mestre. A diferencia de otros textos autobiográficos del exilio que han ido siendo recuperados a partir de la restauración democrática, el texto de Mistral nunca ha sido reeditado hasta la fecha, lo que dificulta aun más su circulación y su conocimiento.[2] Por otra parte, la vida de la autora en el exilio transcurrió relativamente al margen de los círculos de las élites intelectuales. Aunque fue autora de una obra de cierta relevancia literaria como *Madréporas,* publicada en 1944 (reeditada dos veces), y fue también frecuente colaboradora en revistas y periódicos durante su exilio, muchos de carácter libertario y con pequeña circulación, Mistral se vio obligada tam-

---

2. Como podríamos esperar, el libro de Mistral es difícil de conseguir. No se encuentra en las librerías y está prácticamente ausente de las bibliotecas públicas españolas. Sólo un ejemplar aparece en la Biblioteca Nacional, y otro más en el Catálogo Colectivo de la Red de Bibliotecas de los Archivos Estatales —en el Archivo General de la Guerra Civil Española de Salamanca— reproducido en microfilm en el Centro de Acceso al Documento de Alcalá de Henares. El Centro de Estudios Libertarios Anselmo Lorenzo en Madrid también posee una copia cedida por la Biblioteca Social Reconstruir, creada por Ricardo Mestre.

bién a escribir novelas rosa y novelas juveniles para sobrevivir. Este cúmulo de razones quizás explique la poca atención crítica recibida, pero no hace menos necesaria la recuperación de uno de los más interesantes textos autobiográficos del exilio de 1939 en cuanto a su contenido literario, histórico y humano.

En la ingente bibliografía sobre el exilio republicano, Silvia Mistral apenas ocupa una pequeña nota al pie de página, literalmente relegada a los márgenes en muchos casos. Los únicos estudios relevantes centrados específicamente en su obra son los dos interesantes ensayos biográficos de Neus Samblancat (ambos de 2000), quien rescata parcialmente la carta personal de Silvia Mistral dirigida a Anna Caballé. Tristemente, hubo que esperar al fallecimiento de la escritora en 2004 para que algunos periódicos españoles se acordaran, tarde y por un día, de su trayectoria olvidada. La mayor parte de la información publicada sobre su vida y su experiencia en el exilio se encuentra en esas notas necrológicas, particularmente la escrita por la estudiosa granadina del exilio de mujeres Antonina Rodrigo aparecida en *El País*, la de Emilio Godoy en *El Mundo*, y la nota de Romaguera y Ramió en *Academia* (la revista oficial de la Academia de las Artes Cinematográficas Españolas, que hacía hincapié en el trabajo de Mistral como colaboradora para revistas de cine y su trabajo en Barcelona en la distribuidora de Paramount durante la guerra). Dentro de las obras de carácter general sobre el exilio, Shirley Mangini dedica dos únicas páginas del capítulo «Memory Texts of Exiled Women» en su libro *Memories of Resistance*, ofreciendo simplemente ciertos pasajes traducidos de *Éxodo*, y Emilio Calle y Ana Simón dedican en *Los barcos del exilio* un capítulo rememorativo al vapor *Ipanema* («*Allez, allez!*: un número y una manta») en el que transcriben la experiencia del viaje transatlántico narrado por Silvia Mistral.[3] Anna Caballé destaca el carácter testimonial del diario y la «admirable fuerza moral» de la autora, y encuentra una interesante filiación genérica entre los textos autobiográficos de Mistral y de Federica Montseny (*El éxodo: Pasión y muerte de los españoles en el exilio*),

---

3. Una selección de pasajes de *Éxodo* apareció transcrita de forma irregular en un rudimentario folleto publicado en Australia en 1978, *Interludio Ibérico*, firmado por A.J., junto con textos del escritor anarquista gallego Campio Carpio

agrupándolas dentro del «microgénero autobiográfico… de la literatura de los campos de concentración» del siglo XX (123). Precisamente desde el área de estudios sobre los testimonios de los campos de refugio en Francia, Naharro-Calderón dedica a *Éxodo* unos agudos comentarios, aunque breves y poco desarrollados, en los que valora su particular aportación testimonial desde un claro posicionamiento femenino. Francie Cate-Arries también trascribe varios pasajes de *Éxodo* en su libro *Spanish Culture behind Barbed Wire*, ofreciendo un interesante contraste de la escritura de Mistral con la de otros testimonios de refugiados españoles en campos de concentración. El análisis más reciente y extenso del texto de Mistral ha aparecido en *Exiliadas* de Josebe Martínez.

La sección de cinema del «Casal de la Cultura» celebró una sesión de cinema retrospectivo, proyectándose el film «Si yo tuviera un millón», precedido de una conferencia a cargo de la escritora Silvia Mistral, quien aparece en la foto junto con los organizadores. (Foto Centelles)

Fuente: *La Vanguardia*, 8 de julio de 1937, Agustí Centelles.

---

y otros. Este librito fue acaso el primer intento de recuperar el texto de Silvia Mistral, aunque su difusión fue con seguridad muy escasa. El autor reconocía el valor testimonial del texto de Silvia Mistral y se hacía eco del desconocimiento de su figura: «Ignoramos dónde podrá encontrarse. Pero la fidelidad y realidad de los hechos, a una distancia de nueve lustros, abundan en todo elogio» (16). Silvia Mistral llegó a tener noticia de esta publicación, ya que se refiere a ella de pasada en la entrevista de 1988.

II. SEMBLANZA BIOGRÁFICA: UNA VIDA MARCADA POR LOS EXILIOS

Silvia Mistral fue el seudónimo literario empleado desde joven por la autora. Su nombre real era Hortensia Blanch Pita, de padre catalán y madre gallega. Nació en La Habana el 1 de diciembre de 1914 y fue criada, como tantos otros hijos de familias emigrantes, entre Galicia y Cuba. La emigración económica y el exilio político se superponen también como en tantos otros casos. La precaria condición social obrera y las ideas anarquistas del padre determinaron que la familia fuera repetidamente arrastrada a la emigración y al exilio. Vivieron en Galicia entre 1922 y 1926, pero huyendo de la dictadura de Primo de Rivera, que había declarado desertor al padre, la familia se refugia de nuevo en Cuba. Años más tarde, huyendo de la represión de Gerardo Machado en Cuba, la familia regresa a España a raíz de la proclamación de la República en 1931. Cuando se instalan en Barcelona, el padre, trabajador de la construcción, se afilia a la CNT. Silvia Mistral deja los estudios a los diecisiete años y se pone a trabajar en una fábrica de papel de fumar en el Besós, la empresa manufacturadora de la conocida marca Smoking, donde desempeñará la función de química analista durante los años de la República. Debido a la falta de medios para continuar su educación, por su doble condición familiar de clase social trabajadora y de emigrantes exiliados, la autora se ha considerado a sí misma siempre como una «autodidacta a mil por mil» («Entrevista»: 117).

Silvia Mistral comienza a darse a conocer desde muy joven en la prensa local como colaboradora con trabajos literarios y periodísticos, y en especial con reseñas de crítica cinematográfica. En 1931 empieza a escribir de manera voluntariosa en *Las noticias* donde llegaría a publicar hasta 200 colaboraciones, sin recibir ninguna remuneración. También realiza otras reseñas cinematográficas para *Popular Film*, *Films Selectos* y *Proyector*. Entre 1933 y 1936 trabaja para la oficina distribuidora de Paramount realizando gacetillas y escribiendo novelizaciones de las películas, mientras compagina su trabajo con crónicas literarias para *El Día Gráfico*. Tras el inicio del conflicto bélico, en 1936 se colectiviza la fábrica donde trabaja e ingresa en la CNT. De 1936 a 1939 escribe para *Solidaridad Obrera* y *Umbral* de Valencia, en la que también colaboraban Kati y José Horna. De sus experiencias en la guerra, publicó las crónicas «Film de guerra» y «Osca dels meus ulls» en *La Vanguardia*, después de visitar el frente de Aragón, donde estaba su hermano, y el relato «Gran Hotel» en *Umbral* que destaca por su mezcla de sátira literaria y crónica histórica del refugio de la intelectualidad internacional en el Hotel Ritz durante la guerra. En los años de la contienda se hace locutora de Radio Oficial Republicana y publica también algunas colaboraciones esporádicas en *Nuevo Cinema*. Durante esos años frecuenta la peña del Turia, donde conoce a Katy Horna, a Ricardo Mestre, quien se convertirá en su compañero, y a Francisco Carmona, dibujante sevillano que más adelante ilustraría la publicación de *Éxodo* en México.

Su hermano menor, voluntario en las milicias antifascistas, muere a los diecisiete años en el frente de Aragón a consecuencia de la explosión de un obús, episodio que Mistral rememorará con gran emoción en el primer capítulo de *Éxodo*. A la caída de Barcelona en manos de las tropas de Franco en enero de 1939, Mistral inicia su salida de España buscando refugio en Francia, como parte del extraordinario éxodo republicano. Deja atrás a su familia, a la que nunca mas volvería a ver. Antes de cruzar la frontera se casa por lo civil con Ricardo Mestre pero forzosamente se tienen que despedir al poco tiempo. Después de sobrevivir separadamente seis meses de refugio en refugio por el sur de Francia, finalmente Mistral embarca con su marido en el mítico carguero Ipanema que los lleva a México. La salida de Barcelona, el refugio en Francia y la travesía atlántica constituyen el relato de su diario *Éxodo*, que verá la luz en México, primero como capítulos serializados en la revista *Hoy* en 1939, y después en forma de libro en 1940, editado por la recién fundada editorial Minerva de su marido y prologado por León Felipe.[4]

Después de *Éxodo* Mistral publicó un segundo libro en 1944, *Madréporas*, también en Ediciones Minerva, una especie de diario lírico sobre la identidad femenina, la experiencia de la maternidad y la superación del exilio, que tuvo buena acogida, llegando a conocer dos reediciones mexicanas posteriores (en 1967 y 1985).[5] Al libro, escrito en emotiva prosa poética, le acompañaban dibujos y viñetas del artista español exiliado Ramón Gaya. En general la trayectoria literaria de Mistral en México sigue las pautas de muchas otras mujeres exiliadas que se dedican a escribir crónicas y reseñas para revistas y periódicos, y al mismo tiempo escriben también novelas rosas y novelas infantiles como forma de supervivencia, práctica habitual a la cual la propia autora se refiere, citando el caso concreto de Anna Murià, esposa de Agustín Bartra («Entre-

---

4. Mistral conoce al poeta exiliado español León Felipe en México en una peña del Café de París, y enseguida entabla con él una estrecha relación de amistad. La edición de *Éxodo* fue difícil y tuvo limitada difusión. En su entrevista Mistral señala que la edición de unos 3.000 ejemplares fue realizada con medios propios, y en papel muy malo. Según la autora, por esas fechas (1988) todavía se seguía vendiendo, lo que quiere decir que no llegaron a agotar la tirada original en casi cincuenta años. En la carta a Anna Caballé, la autora añade otra posible razón de su escasa repercusión: «Fuera por la modestia de la edición, hecha por mi esposo o por otros factores como el hecho de estar los suplementos culturales en manos de comunistas y yo haber incluido en el relato los interrogatorios del representante mexicano en Burdeos, no tuvo mucha difusión».

5. Esta obra que reafirma su identidad femenina como mujer y madre, mantiene la estructura de diario personal escrito en una prosa donde predomina el sentimiento lírico desbordante, que sigue el gozoso proceso de gestación, nacimiento y crecimiento de su hija Silvia, nacida en México en 1942.

vista»). Así Mistral escribió novelas rosas en la Colección «Delly», con portadas del exiliado artista surrealista José Horna (con quien también colabora en la revista infantil *Aventura*), y algunas de ellas tuvieron tiradas de hasta 5.000 ejemplares, como *Rosas imperiales*, o *La dicha está aquí*, típicamente historias de amores frustrados. En el campo de la literatura juvenil publicó varios libros como *La cola de la sirena, Mingo el niño de la banda, La cenicienta china* y *La bruja vestida de rosa*. También realizó colaboraciones para otras revistas y periódicos como *España Libre, Democracia, Solidaridad Obrera, Estudios sociales* y trabajó durante largo tiempo como colaboradora habitual en el periódico *Excelsior* y en la revista cinematográfica *Arte y Plata*.

Mistral vivió en México el resto de sus días. De acuerdo al testimonio de su amiga Elvira Godás, refugiada en México y residente en Barcelona desde los años ochenta, Silvia no se acostumbró a vivir de nuevo en España, aunque hizo frecuentes viajes de visita después de la muerte de Franco.[6] Regresó por primera vez a España en un viaje a finales de los años sesenta pero quedó muy desencantada personal y políticamente. En parte por el desengaño tras el encuentro con un amor de juventud, en parte porque encontró una cierta actitud de recriminación hacia los exiliados.[7] Tras la muerte de Franco, en otro viaje a España durante los años de la transición realizó gestiones para que se reconocieran sus derechos laborales como exiliada, y efectivamente consiguió que le pagaran los atrasos y le concedieran la pensión de jubilación por el trabajo en la fábrica de papel durante la República. Realizó varios viajes más, pero, al contrario que otros exiliados que acabarían regresando con el paso de los años, Mistral nunca volvió a residir permanentemente en España. Su marido, Ricardo Mestre, nunca volvió a España tras la guerra y falleció en el exilio en 1997. Silvia Mistral falleció en agosto de 2004 en la Ciudad de México.

---

6. Entrevista realizada en Barcelona el día 2 de octubre de 2007.

7. En la entrevista hace referencia a la relación con este gran amor platónico de juventud, una relación epistolar y no consolidada. Este amigo era pintor y se fue al frente de guerra en 1936. También se refiere ahí a la queja que escucha en su primer viaje a España de que los exiliados eran los «afortunados», y las verdaderas víctimas fueron los que se quedaron.

III. ANÁLISIS DE *ÉXODO:*
DIARIO DE UNA REFUGIADA ESPAÑOLA

Portada original de Francisco Carmona.

La relativa borradura de la historia de Silvia Mistral tiene su correlato en el propio diario de la autora. Es curioso observar que hay muy escasos datos personales en el texto, y estos son típicamente introducidos de manera tangencial, como minimizando su importancia. Aparte del carácter fragmentario y esquemático del diario, hay muy poco de memoria personal, el lector apenas sabe nada de su nacimiento, su educación, su familia. Su nacimiento en Cuba es mencionado de pasada (96, 163), sin ofrecer tampoco más explicaciones. De los años juveniles vividos en Galicia (1922-1926) no menciona nada, aunque dedica un capítulo entero muy emotivo a la despedida de los exiliados gallegos a su paso por la costa de Galicia rumbo a América, capítulo en el que transcribe testimonios del gallego al castellano.[8] De sus viajes transatlánticos, tan sólo señala

---

8. Del simbólico mensaje lanzado en una botella desde el barco, «en el naufragio colectivo del exilio», he tratado en mi libro *Memoria histórica e identidad*

17

que cruzó el Atlántico tres veces (149), y que tiene «experiencia en viajes de tercera» (146). Sólo al final del diario menciona su doble estatus de refugiada, primero exiliada con su familia de la Cuba de Machado y ahora de la España franquista, refiriéndose a este doble exilio como un «éxodo tras éxodo» (163). A pesar de su significativa muestra de dolor, sólo menciona un par de veces a su hermano menor muerto a los diecisiete años en el frente republicano, o a los padres que quedan atrás en Barcelona, sin dar ningún otro detalle explicativo.[9] De su vida en Barcelona, sólo sabemos que vivía en una innominada «barriada obrera» (55), y de su empleo, sólo menciona al principio la «casa distribuidora de películas, donde trabajo» (58), detalle incongruente en un diario personal, aunque más adelante se autoproclama «escritora» en la firma de un manifiesto colectivo en Francia que ella misma encabeza. Casi nada sabemos de sus actividades políticas o sus afinidades ideológicas, aparte de sus convicciones republicanas y antifascistas. En cuanto a su aspecto físico, sólo sabemos que, para una niña francesa, tiene aspecto de «artista» —«Sonrío, indulgente. ¿Una artista en una cuadra? (87)— y para la gente del pueblo parece una «doctourese» por las gafas que lleva (92).[10] Sin embargo, quizás lo más sorprendente del diario en este sentido es la reiterada referencia a un anónimo «Él» —el texto nunca aclara si es su amigo, su compañero o su ma-

---

cultural (38). Mistral, como parte de la gran diáspora transatlántica gallega, marca aquí una diferencia importante entre la nostálgica identidad del emigrante que va en busca de su mejora personal o familiar, y la identidad del refugiado político que ha luchado por una mejora colectiva: «La saudade del emigrante, revive en los corazones. Mas ya no es aquella nostalgia celta que llenaba los paisajes de América de romerías y trajes típicos. Estos hombres no han dejado el terruño miserable en que vivían en busca del oro de Indias. Lucharon por él, por mejorarlo, por liberarlo y su sangre ha dejado marcada la epopeya. No sienten tristeza de la patria, sino del pueblo condenado a la ignominia» (164).

9. Parte de esa falta de datos en el texto se debe evidentemente a la desinformación y el caos de la propia situación bélica: «A él, lo enterró vivo la explosión de un obús y pocos días después –¿cómo y dónde?— moría en cualquier hospital de sangre» (28).

10. Estas ausencias se podrían explicar por la propia naturaleza genérica del diario, como algo que resulta innecesario porque la única destinataria del texto es ella misma. Pero sin embargo, sí que da otros muchos datos que serían superfluos en un diario personal, lo cual apunta a un lector implícito externo.

rido— sin mencionar en ningún momento su nombre o cualquier otra característica personal o dato biográfico. Su recurrente mención misteriosa a lo largo del texto constituye una presencia fantasmal, en un texto lleno de lagunas y zonas oscuras. Sólo sabemos de las pesquisas de la protagonista en su busca hasta que descubre que Él está internado en el campo de concentración de Argelès-sur-Mer, desde donde le escribe cartas, y que al final se reúnen en el barco Ipanema para hacer juntos el viaje hasta su destino en México. Ante esta situación cabe preguntarse: ¿Por qué esta presencia ausente? ¿Por qué la borradura de su nombre y de su pasado? ¿Cuál era su trayectoria biográfica y política? ¿Por qué hay tan poca memoria personal en el diario?

Muchos años más tarde, la autora ofrecía una explicación de estas ausencias, en una carta dirigida a la profesora Anna Caballé el 8 de enero de 1996, en respuesta a las preguntas sobre la secreta identidad de ese protagonista:

> Cuando yo comenzaba a escribir o mejor dicho a publicar, el director de *El Dia Gráfico* [sic] me recomendó —entre otros consejos profesionales— no mezclar nunca los problemas emocionales con el trabajo oficial. Fué por ese principio literario que decidí no escribir sobre mi problema personal; por eso puse EL [sic] que era Ricardo Mestre, de Vilanova y la Geltrú, director que fuera del diario *Catalunya*, publicado en la guerra y comisario cultural en el frente. Es aún mi esposo y compañero y cumplirá en abril noventa (90) años. (Carta dirigida a Anna Caballé)[11]

Esta declaración de la autora nos lleva a hacernos otras preguntas sobre el proceso de composición del diario y de su motivación última. Es bien posible que Silvia Mistral quisiera evitar conscientemente esos «problemas emocionales» y ese «problema personal» en su texto, como ella indica retrospectivamente (46 años más tarde de su publicación). Sin embargo, este «principio litera-

---

11. Coincide su carta con las declaraciones realizadas a Enriqueta Tuñón en 1988: «no quise yo... poner la cosa de tipo personal... Sería para una novela o unas memorias —pero aquello eran crónicas de viaje» («Entrevista»: 259).

rio» aprendido en su trabajo para la prensa resulta chocante en un proyecto de carácter eminentemente personal como un diario que, en principio al menos, no buscaba ser publicado. En su carta, Mistral marca la diferencia entre lo personal y lo profesional (su «trabajo oficial» como periodista), principio que dirige la escritura de sus textos, incluido su diario. Según esta misma lógica, ¿podría considerarse entonces que su diario es un «trabajo oficial», como ella misma se refiere a su trabajo literario? ¿En qué momento su diario personal se transforma en un testimonio colectivo? ¿Y es lo mismo un diario que unas «crónicas de viaje», como define su texto en la entrevista de 1988? Por otro lado, a pesar de las manifestaciones posteriores de la autora, en el texto de su diario encontramos una constante referencia a otros problemas íntimos y personales (enfermedades, hambre, sueño, desánimo, miedo, cansancio y experiencias de abuso o relajación como mujer) que no entrarían estrictamente dentro de lo «profesional». Excluir lo personal y lo emocional en un diario sería casi contradictorio, ya que es una parte consustancial de la definición del mismo género. Hay algo de doblemente paradójico en la idea de un diario abierto a los ojos de los demás, que al mismo tiempo oculta y difumina lo personal y lo emocional. Parte de la hibridez constitutiva de este texto de Mistral reside en el hecho de que las fronteras de lo público y lo personal se redefinen en un propósito a la vez lírico y documentalista, en el que se funden lo individual y lo colectivo, el diario y la crónica.[12]

Así, en el texto del diario se eliminan nombres de personas —por ejemplo, se habla de «un viejo amigo» o «el amigo y yo» (68), y el nombre de un refugiado en el campo de Barcarés que aparece en una carta transcrita es sustituido por una «X» (114)— y con frecuencia se evita dar referencias definidas a militancias políticas o preferencias ideológicas. Esta ocultación textual puede ser a veces una estrategia de resistencia, como es el caso cuando vienen las autoridades francesas a por ellas en su refugio en la «Maison du Peuple» y niegan su militancia en cualquier partido político:

---

12. Sobre la hibridación de la memoria testimonial femenina, puede consultarse mi ensayo sobre Dulce Chacón.

—¿Son anarquistas?

Nos miramos todas. Verdaderamente hay algunas entre nosotras. Yo misma, tengo unos libros de teoría anarquista, sobre los cuales me he sentado. Me adelanto y respondo:

—No, ¡qué barbaridad!, todas somos republicanas. (95)

Tan sólo en una ocasión menciona la autora, indirectamente, su propia inclinación ideológica, cuando señala que le pidieron que produjera un escrito en nombre de los libertarios embarcados en el Ipanema para el diario de a bordo (160). El resto de sus cartas, escritos, proclamas, siempre son, como el propio subtítulo de la obra, en nombre de lo/as refugiado/as españole/as.

Un resultado de esta estrategia de ocultación (una forma más o menos consciente de *self-effacement*) es que los datos personales, los nombres y las afiliaciones políticas parecen no tener tanta importancia, pasando a un segundo plano, al lado de la magnitud de la trágica experiencia colectiva. Esta estrategia narrativa, borrando algunos detalles personales para darle una dimensión colectiva a la historia narrada, constituye posiblemente un intento de buscar una mayor complicidad y solidaridad por parte de los lectores.[13] La decisión autorial de evitar identificar con nombres y apellidos, ideologías particulares o partidos políticos, tiene también especial significado en un momento difícil marcado por las graves disensiones políticas internas entre los partidos republicanos y sus militantes, las cuales se hacen visibles continuamente a lo largo del texto, y también por la estigmatización externa, tanto por parte del franquismo como de una buena parte de la opinión pública en Francia, que se horrorizaba de la llegada de los «rojos» revolucionarios.[14]

---

13. A pesar de que en el texto hechos y personajes aparecen frecuentemente velados o camuflados, Mistral ha insistido en la veracidad de los personajes retratados en el libro: «Todos los personajes que aparecen son reales. Todos» («Entrevista»: 259). Por ejemplo, revela la identidad del soldado lituano con el que conversa de poesía española, y en especial de García Lorca, durante el viaje de salida a Francia era el líder anarquista ruso Martin Gudell, del departamento de propaganda extranjera de la CNT-FAI.

14. Las luchas internas entre partidos republicanos, que continúan en el exilio, se reflejan dramáticamente en la política de selección de refugiados —que favorece a unos y a otros de acuerdo a sus inclinaciones ideológicas—

De esta manera, con la borradura de la memoria personal, la experiencia narrada del éxodo se hace más universal y colectiva, buscando acaso una mayor identificación del lector, que se puede situar más fácilmente en la piel de los propios refugiados.

Una de las características más destacables de *Éxodo* es su naturaleza polivalente e híbrida, donde lo privado y lo público, lo personal y lo histórico, el presente y el pasado, lo literario y lo testimonial, aparentemente separados, se entrecruzan y se articulan indivisiblemente. Este peculiar carácter del texto de Mistral se manifiesta a lo largo de toda la obra en las tensiones entre la inmediatez del presente y la visión histórica, la memoria individual y la memoria grupal, el relato biográfico personal y la dimensión de crónica colectiva, el propósito testimonial y la armadura literaria: lo que podríamos llamar la corporalidad textual del diario (Martínez: 168).

Como el subtítulo del libro indica, el texto de Mistral se caracteriza por su marcada estructura de diario, escrito linealmente de manera cronológica y fragmentaria, aunque con constantes y veloces cambios de tiempos verbales entre el pasado reciente y el presente inmediato, marca del propio proceso de escritura.[15] Sin embargo, *Éxodo* no está escrito con la borrosidad del recuerdo lejano, sino en un continuo tiempo presente. La estructura de diario constituye un procedimiento narrativo tan sencillo como efectivo, que marca el texto con la fuerza de la inmediatez y la urgencia. Desde el punto de vista textual, la obra de Mistral se adhiere básicamente al

---

para los barcos fletados por las autoridades republicanas con destino a América, política partidista que muchas voces critican en la obra. Muchos mencionan la necesidad de ocultar su pasado en las entrevistas con las autoridades en el exilio, para conseguir el deseado permiso de embarcación.

Es interesante observar que la autora habla muy críticamente de este procedimiento de entrevista y selección de los embarcados, según arbitrarios criterios ideológicos, pero no dice nada de su propia entrevista, eludiendo el tener que enmarcarse dentro de una particular ideología política, aunque resulta clara su especial apreciación de las ideas anarquistas.

15. La autora alterna las formas del pasado con el presente en una continua fluctuación de tiempos verbales, dentro de un mismo capítulo, respondiendo a estados anímicos, a intensificación emocional, y a la propia escritura del diario, entrecortada por las interrupciones, o los descansos y las esperas:

Voy a partir. ¿Cómo y a dónde? No lo sé.
Salí de casa a las seis de la mañana.... (62)

modelo del diario de viaje, siguiendo un calendario lineal que acompaña su trayectoria desde los días anteriores a la salida de España hasta la llegada a México (apenas seis meses, del 24 de enero de 1939 al 8 de julio del mismo año). Dos mojones históricos ponen principio y fin a su diario: la caída de Barcelona con el consiguiente éxodo masivo de republicanos en el invierno de 1939, y la masiva diáspora de los refugiados en Francia en los buques fletados por las autoridades republicanas con destino a Latinoamérica en el verano de 1939.[16] De esta manera, las coordenadas de tiempo y espacio marcan una experiencia del exilio itinerante que, aunque refleja directamente la experiencia individual de la autora, coincide con una experiencia colectiva, el momento de mayor éxodo de refugiados republicanos, unos 400.000 españoles que buscaron refugio temporal en Francia en los primeros meses de 1939. Su *exilio* se transforma así en *éxodo*, una auténtica odisea épica colectiva, de proporciones bíblicas —algo que, como veremos mas adelante, la propia autora señala repetidamente a lo largo del texto.

Sin embargo, a pesar de su título y su estructura, *Éxodo* es algo más que un diario. Es también una crónica de los eventos históricos, desde un punto de vista testimonial personal. La protagonista es un testigo que se hace eco de los acontecimientos históricos que tienen lugar a su alrededor: Barcelona como ciudad abierta e indefensa ante la llegada de las tropas nacionales; la caótica dispersión y el penoso viaje de los refugiados hacia la frontera francesa; la trágica experiencia de internamiento en los campos de concentración

---

16. Otro aspecto que apunta hacia un proceso de reescritura posterior a las fechas del diario, que sólo llega hasta julio de 1939, es la recurrente mención de la situación que atravesará Francia muy pronto. Francia declara formalmente la guerra a Alemania en septiembre de 1939, a raíz de la invasión de Polonia, y la ocupación alemana de Francia tiene lugar en junio de 1940. Sin embargo, hay muchas indicaciones en el diario que resultan desgraciadamente proféticas (86 y 131), y en algunas ocasiones adelantan el trágico futuro de los franceses: «me entran ganas de gritar a mí también, de decirles que muy pronto ellas se volverán locas, que sentirán los obuses y las bombas, que verán su casa destruida y sus hijos muertos...» (119). ¡Lástima que esta raza tenga que ser utilizada en la próxima guerra como carne de cañón!...» (160). Lo que está criticando veladamente es que Francia, que mostró en general tan poca consideración con los refugiados españoles y la lucha antifascista, se vería embarcada enseguida en su propia lucha de resistencia contra el fascismo.

y las colonias de refugiadas; los retornos forzosos de exiliados; la lenta liberación de refugiados y finalmente los embarques masivos con destino a América. En *Éxodo* se juntan así un drama personal y una épica colectiva. El relato del diario se presenta como un documento de la supervivencia de los refugiados en medio del desastre y la desesperación.

Pero *Éxodo* es también más que un «simple» testimonio histórico. Es un texto que, a pesar de su inmediatez y aparente sencillez expresiva, muestra trazas de considerable elaboración literaria. A lo largo del texto, Mistral introduce elementos narrativos y motivos literarios que van más allá del mero documento histórico, de la anotación confidencial íntima o el diálogo interiorizado que se esperaría en un diario. Esto contradiría las propias declaraciones de la autora en su correspondencia años más tarde en las que reconocía el tono directo e inmediato del texto —a la vez que indirectamente lo disculpaba por su juventud y las terribles condiciones de su escritura. En la misma carta a Anna Caballé, Mistral confesaba que en el momento en que escribió su diario en medio de la guerra no pensaba en su publicación: «Desde luego, como dice usted, se nota lo inmediato y directo de los datos, las impresiones que iba escribiendo en un cuaderno rayado de tipo escolar. Tenía, entonces, 24 años. Dadas las condiciones en que vivía nunca pense [sic] que podía ser editado, ni siquiera publicado» (Carta dirigida a Anna Caballé: 162).[17]

Sin embargo, Mistral sí que edita y publica su diario, y es bastante claro que, en el proceso, el texto se va a ver reelaborado. En

---

17. Nuevamente coinciden estas declaraciones con las realizadas en la entrevista de 1988: «yo seguía escribiendo mi *Diario de una refugiada española* pues en las rodillas, en una piedra, una mesita, en una silla, en donde se podía. Y, ah, yo no lo hacía pensando en que se iba a publicar ni nada, lo hacía como, como testimonio de lo que estaba pasando, ¿no? pero sin ninguna ilusión para el futuro, que no sabía cuál iba a ser pues mi futuro» (253). Sin embargo, en el propio texto del diario se refiere a su escrito todavía en gestación ya con un título definido, y lo pone claramente en relación con otra obra literaria que está escribiendo la Encargada de Negocios de Cuba en París («Ella redacta una "Vida de Jesús". Yo tomo notas y me vuelco en el 'Diario de una refugiada', con toda el alma» (98). Todo ello, unido al hecho de darle títulos a los capítulos, indica una cierta finalidad y una voluntad literaria más o menos consciente.

ese sentido, sería conveniente señalar la diferencia entre la autora del diario, escrito durante la experiencia de refugiada para su uso personal y de alcance reducido, y la autora de *Éxodo*, obra testimonial editada y publicada ya desde su exilio en México para compartir con un público lector más amplio. Es más que probable que en su preparación para la publicación, Mistral revisara, ampliara y corrigiera, y ahí introdujera nuevos elementos literarios. De lo contrario ¿cómo explicar tantos pasajes que aparecen llenos de citas de poemas? ¿Cómo puede citar de memoria artículos aparecidos en la prensa años antes, sin tener acceso a bibliotecas? Bajo la hipótesis de esta reelaboración literaria, el libro sería efectivamente algo más que un diario y un documento.[18] Las tensiones de su factura interna mostrarían una premeditada conciencia de la proyección pública del texto, no sólo como documento personal de una memoria colectiva, sino también como obra con destino a un público lector. Así, la obra se autolegitima por medio del capital simbólico de su valor literario y creativo (reforzado paratextualmente por las firmas del poeta que prologa y del artista que ilustra el libro, cuya portada evoca la iconografía de los carteles republicanos).[19]

Las tensiones internas de la obra comienzan desde el mismo prólogo, escrito por León Felipe y fechado en México, en febrero de 1940. Por una parte, ahí ya se manifiesta la tensión de un texto que nace como diario personal y que es presentado a la luz pública por un reconocido poeta para la comunidad de exiliados en México. La inclusión del prólogo de León Felipe, quien acababa de publicar su aclamado e influyente *Español del éxodo y del llanto* en 1939, intenta legitimar el texto doblemente como testimonio del exilio colectivo republicano y como obra de valor literario. El mis-

18. Coincide Naharro-Calderón en su apreciación de la condición literaria del texto: «Hay que señalar que *Éxodo...* también tiene su artificio novelesco: diálogos, metáforas de la diáspora, hasta alegorías...» (*El exilio de las Españas:* 55). Igualmente lo hace Josebe Martínez, quien destaca su «evidente afán literario» y su «intencionalidad lírica y plástica» (177-178).

19. Como se ha mencionado, antes de salir a la luz como libro, el diario de Silvia Mistral fue publicado por entregas, con ilustraciones del artista sevillano Francisco Carmona, quien también realizó la portada del libro. Como se verá más adelante, se producen importantes modificaciones entre ambas versiones.

mo título de la obra de Mistral, *Éxodo*, alude indirecta pero claramente al reciente libro de León Felipe.[20] La presencia tanto directa como indirecta de León Felipe «autoriza» así el texto de una joven autora desconocida y recién trasplantada a México, en unas condiciones difíciles para darse a conocer.

En sus palabras de introducción, León Felipe revela una paradójica mezcla de deseo de olvido y necesidad de memoria, y a la vez expresa una tensión latente entre lo testimonial y lo literario. «Tenemos tan mala memoria los españoles que nos olvidamos en seguida de todo» (53), dice con palabras proféticas el poeta, tan proclive a asumir esa función profética y apostólica en sus escritos, señalando la enfermedad crónica del olvido colectivo. Si bien la literatura de la guerra le produce una sensación de miedo y rechazo —«Tengo que entrar en ella venciendo repugnancias y escalofríos como si hubiese de arrojarme a un río congelado» (53)— en sus palabras se transparenta también la importancia del imperativo moral, no ausente del subtexto religioso tan frecuente en su obra y en la de tantos otros escritores del exilio (tanto del exilio de la guerra, como del exilio interior de la posguerra):[21] «Hay que escribir esta historia y hay que leerla con valor y con frecuencia para que estén ahí siempre, ante nuestros ojos, nuestras miserias y nuestros pecados» (53). Insiste León Felipe en la necesidad de que la autora debe contar su historia, que es también la historia colectiva. El poeta exiliado reitera enfáticamente la necesidad de contar «el cuento, nuestro cuento, el cuento de la Buena Pipa», que es el cuento de nunca acabar, «ese cuento español, viejo, actual, interminable» (54), el cuento de la tragedia colectiva española, «para que no se nos olvide nuestra historia» (53). De esta manera, para el poeta, el cuento y la historia de Silvia Mistral pasan a ser «nuestro cuento» y «nuestra historia».

Sin embargo, la introducción de León Felipe que se pretende como una recomendación encomiástica de la obra, tanto por su

---

20. Debemos notar al respecto que la autora se refiere en el texto de su diario al título de su trabajo como *Diario de una refugiada*. La idea del éxodo en el título parece que vino posteriormente.

21. Sobre el lenguaje religioso en la poesía exílica, véase el exhaustivo estudio de Mónica Jato.

necesidad histórica como por su expresividad, revela en el fondo de su discurso una actitud paternalista —casi rayando en misógina— sobre la capacidad de la autora, y de las mujeres en general, para la creación literaria:

> Usted lo cuenta bien, porque, ahora sí, *no hay razón para afinar el artificio.* Cuando no hay tema —decía ya Cervantes— hay que usar del estilo y del ingenio, pero cuando el argumento es rico, basta con ir contando. Las mujeres saben ustedes contar bien y con sencillez. *Usted tiene una voz inocente y maternal para contar cuentos.* (53, énfasis añadido)

En estas palabras liminares, León Felipe sostiene las tradicionales categorizaciones jerárquicas estéticas que marginalizan la obra de las mujeres de la Literatura con mayúsculas, relegándola al ámbito domestico de lo infantil y maternal, en un discurso plagado de juicios reprobatorios: cuento, inocente, maternal, falta de artificio, estilo e ingenio. En definitiva, su prólogo tiene el efecto contrario del seguramente buscado, pues si bien «autoriza» la publicación del libro de una perfecta desconocida, lo limita a un espacio marginal menor, el exilio adicional de la literatura femenina.[22]

En contra de lo indicado por León Felipe, y de las propias palabras de la autora sobre «lo inmediato y directo» de su diario, hay mucho de artificio literario en el libro de Mistral. Las marcas de su construcción literaria son abundantes. En realidad, a pesar del evidente carácter testimonial de la obra, hay mucho de literatura en ella y su manufactura se asemeja a un collage de textos ensambla-

---

22. A pesar de las reacciones negativas de otros lectores que al parecer también leyeron el prólogo a contraluz, para la autora, las palabras de León Felipe no admitían otra lectura. Como confiesa en la entrevista de 1988: «Para él era como contar otra vez el cuento de *La Buena Pipa.* Que alguna gente interpretó mal, con un sentido peyorativo, pero yo no, yo creo que.... en la vida se repiten mucho las cosas, y yo no hacía más que repetir un exilio de otros tantos que hubo antes y de los que había de haber después...» (389). «León Felipe siempre fue muy amigo mío. A él le gustaba mucho mi voz, a León Felipe, y siempre me decía que yo no fuera periodista, que yo me dedicara al teatro [risas], que yo tenía condiciones para ser actriz» (390). Esta anécdota si acaso refuerza más aún la sospecha de su menosprecio por el trabajo literario de la autora.

dos de muy diversa procedencia, en el que la autora actúa como mediadora. Son especialmente abundantes las referencias explícitas a obras y autores, intelectuales, pensadores, personajes históricos y literarios, así como las citas de poemas y máximas filosóficas, todo lo cual refuerza el artificio artístico y el tono a veces lírico y elevado, y le da una cierta legitimidad como obra literaria. Asimismo, en el texto del diario se insertan toda una serie de retazos documentales adicionales, en forma de texto sobre texto, como un palimpsesto colectivo que refuerza la carga testimonial de la obra.[23]

Todas las referencias literarias que aparecen en la obra le sirven a la autora para encuadrar la experiencia de la guerra y el exilio en un marco cultural más amplio, y para expresar de manera más viva y elocuente sus impresiones de unos hechos de los que ella ha sido testigo. En las páginas del texto aparecen múltiples referencias de pasada a autores y pensadores como Séneca y Danton (56), Robespierre (57), el Arcipreste de Hita (58 y 123), Goethe (147), Amado Nervo (160), Pedro Salinas (71) o Alfonsina Storni (98), e indirectas referencias intertextuales a Bécquer (62), Unamuno (64), así como a León Felipe. Aparecen también en sus páginas muchas obras referenciadas, algunas no de manera detallada, como los libros de arte y de anarquismo con los que viaja, o cuando señala que el horrible refugio de Burdeos le recuerda a «una novela de Remarque» (137), probablemente en referencia a la popular novela *Sin novedad en el frente* de Erich Maria Remarque.[24] La realidad descarnada y horrífica se parece a veces a la literatura más fantástica o irreal. Así, señala que las historias que le llegan de España son

---

23. Entre los numerosos textos-documento que Mistral incluye en el diario se encuentran informes, actas de reuniones, comunicados oficiales, noticias y artículos de periódico, avisos, cartas escritas a periódicos, manifiestos culturales, textos de arengas y discursos, cartas de otras refugiadas, canciones, proclamas y escritos en varios idiomas (castellano, francés, provenzal, catalán y gallego). Esta textualidad documental del diario, donde los discursos públicos se entrelazan dentro de su propio discurso, refuerza la naturaleza de testimonio colectivo de la obra.

24. Por sus páginas se hace mención a otros personajes literarios considerados arquetipos de la identidad española, como Carmen, Don Juan, Don Quijote, o el caballero de Olmedo. Esto coincide con el recurrente motivo en la literatura autobiográfica del exilio de que los republicanos exiliados son los portadores de la auténtica España.

«del estilo de Edgar Allan Poe» (110), es decir, de horror. Lo literario y lo testimonial se entrecruzan constantemente. Todas las obras que lee o recuerda le devuelven a la realidad vivida, y viceversa. El capítulo primero, titulado «El Buen Amor», hace referencia más al pensamiento utópico libertario que al *Libro de Buen Amor*. Las *Fábulas literarias* de Tomas de Iriarte le recuerdan todo lo que ha perdido: «¿Es esto vida? Leo las fábulas de Iriarte y de pronto me pongo a llorar» (94). Cuando llega al «villorrio» de Les Mages donde ha de vivir refugiada con otras mujeres varios meses en condiciones miserables, se encuentra en la calle una página del libro de Robin Hood, del cap. XXVII que comienza «precisamente» con la «Profecía del hambre» (89), lo que interpreta como pronóstico del futuro que se le avecina.[25] La protagonista es testigo ocular de la dantesca destrucción de libros y de documentos que tuvo lugar antes de la caída de Barcelona, que refleja la barbarie de la intolerancia fascista y la guerra a la inteligencia, la describe con un lenguaje extremadamente simbólico:

En las azoteas hay grandes hogueras, piras trágicas que sobrecogen el ánimo y por la vía pública vuelan papeles y libros rotos. Miro algunas portadas al azar y hay obras de Marx, Bujarin, Roisseau, Blasco Ibáñez, Pío Baroja, Remarque, Barbusse, y toda la colección de obras de José Martí. Los *títulos juegan a la baraja con el viento*, cuyas *manos invisibles* los lleva de esquina a esquina, hasta arrojarlos en los oscuros tugurios de las cloacas. Recibos, cartas, pasquines, informes, *todo se lanza a la calle como símbolo blanco de una organización que se descompone*. (59, énfasis añadido).[26]

---

25. Sin duda otro elemento literario adicional es el emplazamiento estratégico en el texto de estas «páginas encontradas» a lo largo del diario. Otro caso similar ocurre en el capítulo *La Muerte del Poeta*, cuando el viento lleva hasta sus pies, «concentrando en un rincón, papeles y hierbas», el recorte del periódico con la noticia del fallecimiento de Antonio Machado.

26. Resulta interesante el parecido de este pasaje con las escenas narradas por Manuel Rivas en *Os libros arden mal* de las quemas falangistas de libros en el territorio ocupado por las tropas franquistas.

En medio del horror y de la barbarie, la poesía de Frédéric Mistral actúa como bálsamo para las heridas. La autora no oculta su admiración por la obra y por la lengua occitana del autor, admiración compartida por muchos intelectuales catalanes que veían la recuperación de la cultura occitana como una causa hermana a la de la lengua y literatura catalanas: «Me extasío leyendo en el idioma del Mediodía francés. La riqueza y colorido de su léxico me parecen superior a ninguna otra. Hasta las estrofas que no entiendo me subyugan» (116). Frédéric Mistral reaparece en varias ocasiones más, siempre con un mensaje de esperanza en medio del drama. La autora cita frases de Mistral (el pálido sol que «procrea el trabajo y la canción» 116) e incluso unos versos en provenzal de su poema «Magali» («O Magali, se tu te fas / luno sereno / le'u bello néblo me farai / T'acatarai» 116), poema que ella misma traduce al castellano.[27]

Sin embargo, son Federico García Lorca y Antonio Machado los poetas que más veces aparecen citados a lo largo del texto, lo cual no es sorprendente teniendo en cuenta su renombre a nivel popular y su estatus simbólico para los republicanos como figuras icónicas mártires del alzamiento fascista (el primero) y del exilio (el segundo). Los poemas de Lorca son verdaderamente populares, se leen, se comentan, se pasan de mano en mano, se envían por correo, y adquieren un significado nuevo en el contexto en que son utilizados por los refugiados. Aparece citado en el texto en tres ocasiones diferentes. En primer lugar, «Preciosa y el aire» del *Romancero gitano*: «A poco, todos corrimos de la ilusión de los campos andaluces, donde Preciosa, llena de miedo, huía del viento, a la realidad del campo catalán» (70), como metáfora de la situación de Cataluña. Más adelante, Lorca es invocado para subrayar el profundo sentimiento de pérdida y desarraigo causado por exilio: «Todo es extraño. 'Yo ya no soy yo, ni mi casa es ya mi casa'. Pero quiero vivir y pienso en América toda la noche» (107). El «Romance sonámbulo» de Lorca aparece aquí resemantizado y recontextualizado. La desazón, la desesperación y la

---

27. Hortensia Blanch Pita toma el seudónimo literario de Silvia Mistral para sus escritos, lo que podría en parte ser debido a su demostrada admiración hacia la obra de Frédéric Mistral. El nombre de Silvia seguramente lo toma de la célebre oda de Leopardi «A Silvia», según explica la autora la razón de elegir este mismo nombre para su propia hija (*Madréporas:* 54).

extrañeza del sueño irreal del amor trágico provocado por la muerte, conforman ahora un sentimiento de pesadilla, de desarraigo y de desposesión mucho más cercano y más real. Por último, la autora incluye el poema lorquiano «Las tres hojas», enviado por Él desde el campo de concentración de Argelès cuando ella se encuentra enferma y con fiebre, con lo cual se resemantiza nuevamente el significado del poema:

> Debajo de la hoja
> de la verbena
> tengo a mi amante malo,
> ¡Jesús, qué pena!
> Debajo de la hoja
> de la lechuga
> tengo mi amante malo,
> con calentura.
> Debajo de la hoja
> del perejil
> tengo a mi amante malo
> y no puedo ir. (97)

Antonio Machado, por su parte, es protagonista de un capítulo entero dedicado a la noticia de su muerte en Collioure, ocurrida al poco tiempo de cruzar la autora por esa misma frontera, y a la memoria de su vida y su obra. Éste es un capítulo tremendamente conmovedor que alcanza verdaderas cotas líricas y constituye un buen ejemplo de ejercicio testimonial, de recuerdo póstumo, exaltación elegiaca, y al mismo tiempo de gran altura literaria. La autora demuestra aquí ser una buena conocedora de la literatura, cita y describe poéticamente los libros de poesía de Antonio Machado, así como sus ensayos sobre literatura francesa —Molière, Villon y Corneille (98). Sirva de botón de muestra este pasaje:

> Sus pensamientos vibraban en los muros austeros de Baeza y Soria, con la misma ternura y pasión que arrastró al hombre a escribir las «Soledades», delicados poemas íntimos, su «Campo de Castilla» [sic], manojo de romero y hierbabuena, emoción grave de la llanura austera; «La tierra de Alvargonzález», ro-

mance sobrio, ejemplo de la gran poesía castellana, y los «Can-cioneros», joyel de sonidos, de música, de perfumes. (98)

La noticia de las dramáticas circunstancias de la muerte de Machado —tras la muerte de la madre del poeta— con la «fatiga material y moral del exilio» (98), enfermo y olvidado en un país extraño, al estudio de cuya cultura había dedicado tanta energía en vida, alcanza una relevancia altamente simbólica en el libro. El episodio actúa como una caja de resonancia de los sentimientos negativos de la autora y de tantos otros refugiados hacia el país inhóspitamente anfitrión, provocados por la indeferencia y los malos tratos con los que son recibidos los exiliados republicanos.

Otra cita especialmente significativa en el diario es la de un poe-ma de Walt Whitman, utilizado como epígrafe del capítulo titulado simplemente «Argelès-Sur-Mer» sobre la terrible experiencia de su-pervivencia de los detenidos en el campo de concentración de Argelès:

> ¡Hurra por los muertos!
> ¡Hurra por los que cayeron!
> ¡Hurra por los generales
> que perdieron el combate
> y por todos los héroes
> vencidos! (82)

Se trata de un fragmento del poema «Song of Myself», de *Leaves of Grass*. El cotejo de estos versos con las versiones publicadas en castellano revela que la versión que Mistral cita es una selección de versos que siguen la personal traducción del poema al castellano realizada por León Felipe, titulado «Canto a mí mismo»:

> *¡Hurra por los muertos!*
> Dejadme soplar en las trompas, recio y alegre, por ellos.
> *¡Hurra por los que cayeron,*
> por los barcos que se hundieron en la mar,
> y por los que perecieron ahogados!
> *¡Hurra por los generales que perdieron el combate y por todos los héroes vencidos!*
> (énfasis añadido)

Debido a que la traducción de León Felipe no se publicó como libro hasta 1941, es casi imposible que Mistral tuviera acceso a ella durante su etapa de refugiada en Francia en 1939. Es mucho más probable que la autora llegara a conocer esta traducción después de su llegada a México, y no antes, ya que fue entonces cuando conoció al poeta, con el cual mantuvo, como se desprende del prólogo, una cordial relación amistosa. Este sería otro claro indicativo de la reelaboración literaria del diario de Mistral con vistas a su publicación.[28]

Por otro lado destaca el enorme contraste entre el patetismo de la situación representada, la situación infrahumana de los refugiados en el campo de concentración y su lucha desesperada por la vida, y el espíritu celebratorio del epígrafe poético, intensificado por las elisiones practicadas por la autora, otra muestra de la particular fusión de lo literario y lo testimonial en el texto de Silvia Mistral:

En Argelès es más fácil entrar que salir. Una playa inmensa y nada más. Ni caseta, ni agua, ni comida, ni enfermeros, ni medicinas. Sólo la arena y el mistral. Y los senegaleses. Altos y negros, semejan niños a los que se ha dado un fusil y un uniforme y una orden de matar. Nadie puede imaginar cómo es esta playa con el frío y en la noche. No hay una venda para los heridos ni un poco de agua hervida para los enfermos. NADA. 75.000 o 100.000 hombres duermen bajo el rocío, sin mantas muchos de ellos. Por la mañana algunos amanecen secos, congelados por el frío. (82)

Como bestias, tras los alambres, los españoles, sin mantas, sin comida, sin sol; heridos, moribundos, son lanzados al desierto de arena. Un poco de paja sobre ella, sería un lujo. Las órdenes son feroces. Dan una lata de sardinas, cada veinticuatro horas, para quince personas. Dos o tres niños se mueren cada día. (82)

---

28. Efectivamente el poema de Whitman no encabeza el capítulo sobre Argelès que aparece publicado en la revista *Hoy* en 1939, lo que sugiere que la autora siguió rescribiendo y puliendo hasta el momento de la publicación del libro, más de un año después del comienzo de la escritura del diario.

Un capítulo aparte merecen las numerosas referencias bíblicas que aparecen a lo largo del texto. La autora recurre con frecuencia a un lenguaje bíblico del que, sin embargo, está ausente todo contenido religioso. El caso más obvio se encuentra en el propio título del diario, *Éxodo*, con una clara referencia al éxodo de los judíos y la busca de la tierra prometida del antiguo testamento. Se hace hincapié en la idea de un pueblo injustamente perseguido y obligado a abandonar su tierra. Lo que interesa aquí del lenguaje bíblico es su carácter hiperbólico y mítico que realza la dramática y desesperada experiencia del destierro colectivo de los exiliados republicanos y la búsqueda de una nueva tierra de acogida, elementos de un *leit motiv* que está omnipresente en toda la obra. Véase como ejemplo los siguientes pasajes del texto (que no aparecen en la revista *Hoy*):

Se nos ha lanzado al mar como en las tragedias bíblicas. (150)

Nuestras mentes se exaltan y salen, como los esqueletos de los camposantos, a bailar su danza nocturna. Dormidas o despiertas, soñamos con esa día feliz en que se diga adiós a todo —hasta a nuestro pasado— y un tren o un navío nos lleve lejos, a una tierra donde, libremente, podamos laborar, crear, ambicionar, gozar de la vida. (95)

En relación con el uso de referencias bíblicas, resulta también harto frecuente la descripción de la experiencia del viaje del exilio como peregrinación, vía crucis, o penitencia, que siempre recuerdan el calvario y agonía de Jesucristo, o la errancia del exilio de los judíos: «Continúa el vía crucis» (77); «Circulan todos de noche, acaso para que el pueblo francés no tenga que molestarse en contemplar esta visión de judíos errantes» (80).[29] La idea obsesiva del viaje, y de cruzar el mar, para los refugiados concentrados en las playas del sur de Francia produce la alucinación de un re-

---

29. La estructura itinerante del diario se asemeja de hecho a un vía crucis, realizado de estación en estación, cada capítulo dedicado a un lugar de refugio por el que ha pasado: Argelès-Sur-Mer, Port Vendres, «Café de París», «Maison du Peuple», ¿Vía Hendaya o vía Cerbère? o Adiós a la Provenza.

cluso desesperado, que adquiere también tonos bíblicos en las palabras de Mistral: «E iba, hacia el mar, adentrándose en el agua. Los amigos corrieron hacia él. Marchaba a México, por el mar, como Jesucristo, sobre las olas. Había perdido la razón» (83). En otros casos, la bíblica agua bautismal puede ser una metáfora del proceso de reconstrucción de la identidad del exiliado al dejar atrás su pasado: «Me parece nacer para la vida, como si me bañara en las aguas de un nuevo Jordán. Creo haber estado demasiado tiempo fingiendo, siendo lo que Pedro Salinas llamó "la criatura de los azares". Soy más yo, mi alma es más mi alma, desde que los prejuicios se han desprendido de mí. He nacido...» (71). Por último, el motivo de la lucha fraterna de Caín y Abel, elemento bíblico omnipresente en la literatura del exilio, también hace su aparición explícita en la obra (144).

Otro rasgo que muestra un cuidado proceso de elaboración es la atención prestada por la autora al lenguaje, como discurso ideológico. Tal es el caso, por ejemplo, cuando la protagonista reacciona ante las arengas de los agentes franquistas en Francia, descodificando enseguida un discurso que le resuelta nuevo. Así en las páginas siguientes disecciona y deconstruye el discurso franquista propagado por los agentes fascistas que intentan forzar el regreso de las refugiadas a España, aprovechándose de su terrible situación de indefinición:

Los franquistas, en primer lugar nos saludan con un discurso patriótico, con unas frases nuevas completamente para nosotras:

[...]

«Vosotras, mujeres españolas, volveréis a vuestros hogares y en ellos os sentiréis felices, porque aunque halléis vuestras casas en ruinas sentiréis la alegría, la inmensa alegría de la paz, de la reconstrucción. Se os dan toda clase de facilidades y podéis dirigiros a donde os interesa u os plazca.»

Todo el mundo enmudeció y nosotras nos miramos a los ojos. ¿Alegría de la casa destruida? ¿Voluntad para quien nos la destruyó? ¿Felices cuando ellos quedaban en los campos? ¿Dichosas en la casa sola, sin risas y sin luz, entre saludos a la patria y humillaciones a los militares? ¿De qué hablaba este hombre?

[...]

    ¿Cómo pueden atreverse a hablarnos de esa manera? O son ciegos o nos juzgan tontas. (125-126)

Pero Mistral muestra una afinada habilidad deconstructora del discurso ideológico que va más allá de la elemental ramplonería del lenguaje franquista y de la ideología fascista.[30] Quizás uno de los rasgos más sobresalientes de la obra sea su radical relectura del paternalismo y del patriarcalismo de la civilización occidental, la revelación de la limitada estrechez de la tradición racionalista con vocación hegemónica universal, representada ejemplarmente aquí por Francia. El maltrato recibido como refugiada en Francia, nación que supuestamente acarrea el estandarte de los modernos valores ilustrados, es el punto de partida para una operación de desmonte del racionalismo occidental, que revela toda una serie de injusticias e iniquidades históricas que se extienden más allá de sus fronteras. En este sentido, Naharro-Calderón ha señalado la constante amenaza latente de «violencia» o «vejación sexual» y de «abuso corporal» en las páginas de *Éxodo*, por lo que simbólicamente «el cuerpo femenino se convierte en la extensión del espacio nacional violado». Y continúa: «Es a partir de esta violencia que Mistral plantea la deconstrucción de la ecuación civilización/barbarie y dignifica la otredad ejemplificada por el cuerpo de los republicanos españoles o los martiniqueses afroamericanos contra los que se mueve represivamente el espíritu del universalismo racionalista» (318).

Efectivamente, con un planteamiento ideológico radical, Mistral deshace el tópico tradicional de la oposición entre civilización y barbarie. Así delata la construcción colonial en el imaginario francés del continente americano como barbarie, y la consiguiente superioridad natural de la civilización francesa: «Piensan que, todavía, América es un inmenso territorio de indios armados de flechas y para hablar de ella adoptan el mismo tono que cuando nombran las colonias francesas» (135). Las reacciones de los franceses ante la noticia de que los refugiados republicanos saldrán para México

---

30. Este pasaje tampoco se incluye en la revista *Hoy*.

despiertan los viejos prejuicios occidentales. Para unos, México «es una nación 'inferior'» (136); para otros, es simplemente «Mexique... Mexique... le pays sauvage». La airada protagonista contesta invirtiendo los términos de su discurso xenofóbico, por lo que la «barbarie» (México) se vuelve «civilización», y viceversa: «Eso, el país salvaje, es el que da una lección de humanidad» (135).[31]

Las últimas páginas del diario, que describen la experiencia del encuentro con el otro, anuncian un nuevo proceso de negociación de identidades.[32] En el trayecto final del viaje rumbo a México se produce un climático encuentro con el otro racial en Martinica, y seguidamente en Saint Thomas, que representan la otredad radical del continente americano en la figura del negro. El recibimiento afectuoso y de brazos abiertos con que se acoge a los refugiados en su prolongada escala en Martinica, mientras reparan la avería del motor del barco, tiene su correlato en la aceptación y confraternidad de los refugiados con los indígenas de la isla. Así, Mistral señala que las mujeres martinicas «por primera vez en su historia, eran tratadas de igual a igual, compartiendo las alegrías de los blancos» (158). En un giro radical, Mistral equipara aquí explícitamente la defensa de los subalternos, los negros de Martinica y los refugiados españoles, ambos tratados como parias de segunda clase por la «civilización» (francesa). Así, ante el maltrato y la violencia hacia una vendedora de frutas negra por parte de un guardia colonial francés, un refugiado español se encara al agente agresor y la defiende

---

31. Contrasta aquí el cálido recibimiento de las republicas latinoamericanas «salvajes», con la crítica descripción del frío racionalismo del «Estado perfecto francés»: «La orden de expulsión anda suelta por todas las prefecturas y los asilados políticos van de frontera en frontera, entrando y saliendo de Suiza y Bélgica, huyendo del peligro. Papeles, papeles. Una nación ésta donde la vida parece concentrarse en documentos. Algunos nos hablan del "Estado perfecto", de los "enemigos de Francia", de los "terroristas", y nosotras pensamos si solamente podremos esperar un regreso a España. Un sentimiento sanguíneo se rebela dentro de nosotras» (95).

32. Sería quizás más conveniente hablar aquí de «reencuentro», teniendo en cuenta la trayectoria transatlántica vital de Mistral, nacida en Cuba y criada entre dos aguas. En el texto, que pasa mayormente por alto esta circunstancia, se adopta la perspectiva de una «refugiada española», como si se enfrentara por primera vez a esta otredad racial y cultural.

elocuentemente, como una «especie de Quijote» (159): «¿Por qué maltrata a la negra? Es una mujer como todas las mujeres, como las inglesas y las francesas: quizá mejor que ellas, más humana, más sencilla, más buena. Su risa es blanca, su mirar, sincero; su gesto, tranquilo, ¿por qué la enseña a odiar?» (159). La autora añade que el refugiado «paga a la semi esclava del imperialismo galo, todo el precio de la mercancía». La equiparación del estatus de ambos grupos y su dignificación es un imperativo ético claro para la autora: «No importa lo que digan y piensan [sic] las autoridades. Si no fuera así ¿qué dirían los negros de nosotros? ¿Para qué tanta lucha, tanta sangre, tanta muerte y tanto desterrado? Si no fuera así ¿por qué estar aquí? —diría yo» (160).[33]

El imperativo ético se muestra una vez más como el estandarte de los valores humanos de los exiliados. En su encuentro con el otro, a su vez sujeto a una posición de subalternidad semejante a la suya propia, los exiliados ven mas allá de las diferencias que los separan y toman conciencia de la posibilidad de compartir sus diferencias culturales. Priman los valores de la solidaridad y la confraternidad con el otro. Se presenta como una experiencia gozosa de intercambio, de celebración, y de reposicionamiento cultural, acaso como una antesala de lo que anticipa será su proceso de adaptación a la nueva tierra de acogida. En su final, el discurso de Silvia Mistral revela cierto sustrato utópico y esperanzado por conseguir una vida libre y un mundo más justo para todos, necesario antídoto ante la terrible realidad de la vivida experiencia como refugiada y las dificultades que no ignora les esperan por su condición de exiliados políticos en el nuevo país de acogida, un exilio que se repite una vez más uniendo «éxodo tras éxodo».

Las páginas del diario de Silvia Mistral quedan como un testimonio personal vivo y estremecedor de la experiencia de las mujeres republicanas refugiadas, y de su capacidad y valor para sobreponerse a las adversidades encontradas en el exilio, la separación familiar, los bombardeos, las enfermedades, el frío y el hambre, las humillaciones, los malos tratos, las injusticias, la locura y la

---

33. Con anterioridad, la autora ya había equiparado la experiencia del embarque de los refugiados con los esclavos negros: «Estos barcos reviven, modernizado, el tráfico de carne humana» (142).

muerte. En el medio de todo ello, Silvia Mistral encuentra su razón de ser y sobrevivir en la solidaridad y fraternidad, en la resistencia frente al fascismo y el militarismo, y la defensa de la libertad por encima de todo. Por ello, a pesar de las traumáticas experiencias vividas, el diario mantiene un tono esperanzado, de no resignación ni doblegamiento, de afirmación de su identidad como mujer republicana, coherente con su conciencia cívica. De esta manera, recuperar su testimonio es una forma de rescatar la memoria histórica del fantasmal archivo del silencio y del olvido, pero también de las trampas de la nostalgia y la desmemoria.

IV. LA SERIE PERIODÍSTICA DE *ÉXODO* EN LA REVISTA MEXICANA *HOY*

La revista *Hoy*, fundada en México D.F. en 1937 por el periodista mexicano Regino Hernández Llergo, era una destacada publicación semanal de información general, en la que tenían cabida los sucesos políticos nacionales e internacionales así como una variada información del panorama artístico y cultural.[34] El concepto moderno de la revista, la atención a la cuidada presentación gráfica y la calidad de las colaboraciones y reportajes hacían de la revista un ejemplo de la modernidad intelectual mexicana. La información y los testimonios sobre el final de la Guerra Civil española y la situación de los refugiados eran temas recurrentes entre sus páginas. En la revista colaboraban conocidos intelectuales mexicanos como Xavier Villaurrutia y Diego Rivera, así como algunos de los más ilustres exiliados intelectuales españoles de tendencias muy diversas. En los meses de la publicación de *Éxodo* se vieron colaboraciones de Benjamín Jarnés, Gregorio Marañón, Pío Baroja, Paulino

---

34. Es reconocida su labor de pionero en México de un nuevo periodismo, en cuyo desarrollo esta revista tuvo un papel especial: «Fundó la revista *Hoy* en 1937, sin duda un semanario importante en la época, no sólo por los temas y las personalidades que escribieron, sino por introducir aspectos técnicos inexistentes en el país. Así inició la revista a gran formato; también fue importante porque el periodista le dedicó un espacio considerable al reportaje. En cada publicación, sin falta, había una o dos entregas con investigaciones relevantes» (Sierra García).

Masip, Nieto Alcalá Zamora o Ramón Gómez de la Serna. En la entrevista de 1988 Mistral señala que Hernández Llergo contrató la publicación de *Éxodo* por capítulos, pagándoles la considerable cifra de 80 pesos por semana, que fue el primer dinero que entró en la casa tras la llegada a México.

Cada capítulo del diario se publicó a cuatro columnas bajo un mismo título, *Éxodo. Diario de una refugiada española*, con el gran titular de ÉXODO a toda plana. Salieron publicados a lo largo de los meses de octubre a diciembre de 1939 con periodicidad semanal, excepto en dos ocasiones, con un total de seis capítulos.[35] Curiosamente, en los capítulos la autora no utiliza su seudónimo habitual de Silvia Mistral, con el que ya firmaba sus escritos en la prensa en España. Cuatro de los capítulos seriados van firmados con el seudónimo de Silvia M. Robledo, uno como Silvia M. Salcedo —el número 4, seguramente una errata— y otro, el primero, apareció sin firma, quizás por descuido de la imprenta. Es posible que la razón del cambio de seudónimo fuera para proteger su anonimato y eludir ser identificada por aquellos exiliados españoles refugiados en México que pudieran reconocer el seudónimo utilizado en la prensa española y hallar las claves de su verdadera identidad y la de Ricardo Mestre, estando tan cercanos todavía los hechos narrados y su llegada a México.

Los capítulos serializados van acompañados por una serie de 8 ilustraciones gráficas realizadas en tinta por el también exiliado dibujante sevillano Francisco Carmona, en un estilo sencillo e impactante muy similar al que realizaría posteriormente para la portada del libro. En el pie de las ilustraciones, una breve frase escogida del texto sumariza la situación. Las

---

35. Las fechas de aparición fueron las siguientes: Capítulo 1, 28 de octubre 1939, múmero 140, p. 54-55, 59. Capítulo 2, 4 de noviembre 1939, número 141, p. 60-61, 90. No se publicó en el número 142, un especial monográfico dedicado al turismo norteamericano en México. Capítulo 3, 18 de noviembre 1939, número 143, p. 50-51. No se publicó tampoco en el número 144 del 25 de noviembre de 1939. Capítulo 4, 2 de diciembre 1939, número 145, p. 76-77. Capítulo 5, 9 de diciembre 1939, número 146, p. 54-55. Capítulo 6, 16 de diciembre 1939, número 147, p. 60-61, 84.

atractivas ilustraciones gráficas reclaman la atención del lector y aumentan el poder cautivador del testimonio sobre el público lector de la revista.

El contraste entre la versión por capítulos y la versión final del libro revela abundantes diferencias, sobre todo en cuanto a material ausente, seguramente suprimido en la versión serializada, que podría considerarse un resumen del diario y anticipo del libro. Los capítulos siguen, en general, el mismo formato y orden cronológico, y constituyen una versión reducida del libro. En los capítulos serializados se suprimen palabras, frases, párrafos e incluso capítulos completos que aparecen en el libro. Los textos insertados, cartas, proclamas, poemas, son mucho más reducidos y abreviados en la revista, aunque reproducidos con exactitud. En muchos casos se trata de una simple cuestión de economía narrativa y de énfasis en la acción principal; así desaparecen descripciones, adjetivos y digresiones tangenciales. En otros casos parece obedecer a una decisión consciente de rebajar el tono crítico contra las autoridades y militantes republicanos. Es de destacar que en los capítulos no se ofrecen tantas críticas específicas a los partidos y al gobierno republicano, ni tampoco tantas descripciones de las rencillas internas entre refugiados, como sí aparecen en el libro.[36] Esto podría indicar un deseo de no herir susceptibilidades y de no reabrir las viejas heridas entre las facciones republicanas, en el momento de su llegada a México y tener que situarse entre los refugiados españoles. La aparición de estos comentarios expresos en el libro, publicado varios meses más tarde, podrían indicar una mayor libertad de movimientos, un mejor asentamiento como refugiada, o un mayor convencimiento en sus críticas.

En general en los capítulos seriados se prima más la inmediatez de los hechos narrados, y menos el comentario autorial,

---

36. Algunos ejemplos de estas elipsis que sí aparecen en el libro: «Y lo dicen con tono acusatorio como si fuera un crimen no llevar el carnet estalinista» (60); «Los eternos agitadores de retaguardia....» (60-61); «especialmente por rebelarse contra el sectarismo estaliniano» (66); o las reyertas partidistas entre republicanos (81).

que en el libro tiene mayor relevancia. Se potencia así más la carga propiamente testimonial que el componente literario. Los primeros y los últimos capítulos del libro, los de mayor movimiento y agilidad de acción, son los que más espacio ocupan en la serie de la revista, mientras que los centrales y más largos, y también mucho más descriptivos, son condensados sumariamente en la serie. Así la salida de Barcelona y las primeras semanas en Francia ocupan la mayor parte de los primeros cuatro capítulos serializados, y la salida de Francia y el viaje hasta México ocupan los dos últimos de la serie. La parte sometida a mayores elipsis es la que ocupa la sección central y más larga del libro, la experiencia de refugiada itinerante en Francia. Mientras los primeros y últimos capítulos se corresponden en ambas versiones en el orden del 60% o 70%, los capítulos centrales, que van de mitad de febrero a principios de junio de 1939 no se incluyen en la versión serializada más que en un 10%. Se da más importancia así a su papel de testigo del éxodo masivo, que la individualidad de la experiencia personal de su asilo político.

Las referencias crípticas al innominado «Él» del libro son también más oscuras en la serie, en la que se lo refiere simplemente como «él» de manera menos conspicua. A este respecto, ocurren algunas interesantes elipsis adicionales en su relación con él. Por ejemplo, ofrece dos versiones distintas del reencuentro en Burdeos antes de embarcarse en el Ipanema. En el libro indica que se reencuentran en la estación de tren de Burdeos el 8 de junio, al llegar él en el tren con los refugiados del campo de Argelès, aunque los hombres son seguidamente separados por los gendarmes y conducidos a otro refugio temporal, y no se vuelven a ver hasta el 11 de junio, justo en el momento de embarcar: «Cien ojos se clavan en mi cuando salto hacia sus brazos. No sé si llorar o reír. Los gendarmes, tras de la primera expansión sentimental, oponen su barrera infranqueable y no me permiten que me acompañe» (138). En el capítulo 5 de la serie en la revista resume muy escuetamente la llegada del tren, sin referirse para nada al reencuentro truncado. «En el tren que llega de Argelés, pasa él, pero los gendarmes no dejan que baje nadie» (54). Las referencias a él son minimizadas en otros capítulos igualmente, siguiendo la tódo la tónica de rebajar el peso de los elementos personales y las identificaciones ideológicas.[37]

Muchos de los subtítulos de los capítulos del libro no aparecen en la serie, y en algunos casos aparecen otros distintos. Tampoco aparece, lógicamente, el prólogo de León Felipe, escrito expresamente para el libro y fechado en febrero de 1940. En su lugar, el primer capítulo se inicia con un epígrafe de Dostoiesvky, ausente en el libro: «No hay nada más fantástico que la realidad», lo cual equivale a una declaración de principios y una indicación del carácter terrible pero real de los hechos narrados a continuación. También se introducen algunos títulos de capitulillos adicionales que no aparecen en el libro: «Un segundo Don Quijote» o «Una lección de humildad», al relatar la llegada a Martinica.

En otras cuestiones formales, cambian muchas desinencias verbales, algunos tiempos de los verbos y las formas se pluralizan con frecuencia (con lo que disminuye la importancia del yo, en favor de un nosotros). Hay también algún cambio de fechas, aunque de poca importancia. Se dan también bastante variaciones ortográficas (México-Méjico), y desaparecen algunas traducciones al castellano del gallego y el catalán. En la versión del libro se cuelan algunas erratas, que no aparecían como tales en los capítulos. Esto indica que se trataba de erratas de imprenta, y no del manuscrito original.

La versión del texto de Mistral que utilizamos aquí se corresponde íntegramente con el libro publicado en 1940, contrastado con la versión serializada para corregir erratas de imprenta. En esta edición se han corregido las erratas y se han hecho pequeñas modificaciones de ortografía y puntuación, ajustándolas a las normas actuales, pero respetando las características del texto original. Las ilustraciones de Francisco Carmona reproducidas en esta edición llevan los rótulos originales correspondientes al texto de la publicación seriada en la revista *Hoy*.

---

37. En la entrevista de 1988, Mistral señala con claridad la adscripción de ambos al movimiento libertario, mucho más activista en el caso de Mestre. Por ejemplo comenta que los anarquistas escogieron a Ricardo Mestre como su representante en el Ipanema (278).

Muchas personas han colaborado, directa e indirectamente, a lo largo de varios años en la preparación de esta edición. El apoyo de colegas, estudiantes y amigos que han compartido su lectura, de alguna manera, refuerza el carácter colectivo y vivo de esta obra. En especial quisiera expresar mi más sincero agradecimiento a Anna Caballé (Unidad de Estudios Biográficos, Universitat de Barcelona), Antonina Rodrigo, Patricia Greene, Elvira Godás y sus amigas exiliadas, Mary Jo Zeter (Michigan State University), Camilla Fulton (University of Illinois, Urbana-Champaign) y al Centro de Información Documental de Archivos (Madrid), por su valiosa ayuda facilitando información y acceso a documentación para la preparación de este estudio. Por último quisiera dedicar el libro a la memoria de Christina Dupláa, que compartió conmigo su pasión por la reivindicación de la memoria de las mujeres exiliadas catalanas.

BIBLIOGRAFÍA SELECTA DE SILVIA MISTRAL

MISTRAL, Silvia (1937), «Film de guerra. Huesca a la vista», *La Vanguardia*, 11 diciembre, p. 6.

— (1938), «Osca dels meus ulls» *La Vanguardia*, 27 marzo, p. 5.

— (1938), «La vida tras la máscara: Grand Hotel», *Umbral* 55, 3 diciembre, p. 15.

— (1939), «Exodo. Diario de una refugiada española», *Hoy* (México, D.F.) 140, 141, 143, 145, 146, 147. Octubre-Diciembre.

— (1940), *Éxodo: Diario de una refugiada española*, México, D.F., Ediciones Minerva.

— (1944), *Madréporas*, México, D.F., Ediciones Minerva, Dibujos y viñetas de Ramón Gaya. 2ª edición (1967), México, D.F., Finisterre. 3ª edición (1985), México, D.F., Leega.

— (1983), *La cola de la sirena*, México, D.F., Trillas.

— (1985), *Mingo, el niño de la banda*, México, D.F., Trillas.

— (1986), *La cenicienta china*, México, D.F. Trillas.

— (1983), *La bruja vestida de rosa*, México, D.F., Trillas.

— (1988), «Entrevista realizada por Enriqueta Tuñón a Silvia Mistral», *Proyecto de Historia Oral. Refugiados Españoles en México*, Instituto Nacional de Antropología e Historia de México en colaboración con el Ministerio de Cultura de España, México, 19 de febrero-25 de marzo, Trascripción mecanografiada, 6.981, Centro de Información Documental de Archivos, Madrid.

— (1996), Carta dirigida a Anna Caballé, 8 de enero, Archivo de la Memoria, Unidad de Estudios Biográficos. Universitat de Barcelona.

Bibliografía crítica

A. J. (1978), *Interludio ibérico*, Sydney, Colección La Semilla.

BHABA, Homi (1994), *The Location of Culture*, Londres, Routledge.

CABALLÉ, Anna (1998), «Memorias y autobiografías escritas por mujeres (siglos XIX y XX)», Breve historia feminista de la literatura española (en lengua castellana), Iris Zavala (coord.), Vol. 5. La literatura escrita por mujer: desde el siglo XIX hasta la actualidad, Barcelona, Anthropos, pp. 111-138.

CALLE, Emilio y SIMÓN, Ana (2005), *Los barcos del exilio,* Madrid, Oberon.

CATE-ARRIES, Francie (2004), *Spanish Culture behind Barbed Wire: Memory and Representation of the French Concentration Camps*, Lewisburg, PA, Bucknell UP.

COLMEIRO, José F. (2005), *Memoria histórica e identidad cultural: De la postguerra a la postmodernidad,* Barcelona, Anthropos.

— (2008), «Re-collecting Women's Voices from the Past: The Hybridization of Memories in Dulce Chacón's *La voz dormida*», *Visiones y revisiones: La narrativa de mujer del siglo XX*, Ed. Kathleen McNerney y Kathleen Glenn, Amsterdam, Rodopi, pp. 191-209.

DERRIDA, Jacques (1981), *Dissemination,* Chicago, University of Chicago.

GARCÍA CANCLINI, Néstor (1995), *Hybrid Cultures. Strategies for Entering and Leaving Modernity*, Minneapolis, University of Minnesota.

GODOY, Emilio (2004), «Silvia Mistral. Testigo y cronista del exilio de los republicanos», *El Mundo,* 27 agosto: 5 <http://www.elmundo.es/papel/2004/08/27/opinion/1683911.html>.

GRILLO, Rosa María (1996), «La literatura del exilio», *El último exilio español en América: Grandeza y miseria de una formidable aventura*, Ed. Luis de Llera Esteban, Madrid, MAPFRE, pp. 317-515.

ILIE, Paul (1980), *Literature and Inner Exile: Authoritarian Spain, 1939-1975*, Baltimore, Johns Hopkins UP.

JATO, Mónica (2004), *El lenguaje bíblico en la poesía de los exilios españoles de 1939*, Kassel, Edition Reichenberger.

LEJEUNE, Philippe (1989), «The Autobiographical Pact», *On Autobiography*, Ed. Paul John Eakin, Minneapolis, University of Minnesota, pp. 3-30.

MANGINI, Shirley (1995), *Memories of Resistance: Women's Voices from the Spanish Civil War*, New Haven, Yale UP.

MARTÍNEZ, Josebe (2007), *Exiliadas. Escritoras, Guerra Civil y memoria*, Barcelona, Montesinos.

NAHARRO-CALDERÓN, José María (1998), «Por los campos de Francia: entre el frío de las alambradas y el calor de la memoria», *Literatura y cultura del exilio español de 1939 en Francia*, Eds. Alicia Alted Vigil y Manuel Aznar Soler, Salamanca, AEMIC-GEXEL, pp. 307-328.

NAHARRO-CALDERÓN, José María y Manuel Andujar (1991), *El exilio de las Españas de 1939 en las Américas: «¿Adónde fue la canción?»*, Barcelona, Anthropos.

PACHECO OROPEZA, Bettina (1999), *La autobiografía femenina contemporánea en España (Textos seleccionados: 1939-1996)*, Universidad de Los Andes, Venezuela. http://servidor-opsu.tach.ula.ve/ascen_acro/pache_b/cont/capitulo_2.pdf.

RIVAS, Manuel (2006), *Os libros arden mal*, Vigo, Xerais.

RODRIGO, Antonina (2004), «Silvia Mistral, escritora del exilio», *El País*, 22 agosto <http://www.elpais.com/articulo/agenda/Mistral/_Silvia/Silvia/Mistral/escritora/exilio/elpepigen/20040822elpepiage_3/Tes>.

ROMAGUERA Y RAMIÓ, Joaquim (2004), *Academia. Revista del cine español*. 105. p. 14.

SAMBLANCAT MIRANDA, Neus (2000), «*Éxodo, diario de una refugiada española*, de Silvia Mistral», II Coloquio Internacional: La literatura y la cultura del exilio republicano español de 1939, Ed. Roger González Martell, La Habana, che-gexelaemic pp. 157-67.

— (2000), «Silvia Mistral: Éxodo (Diario de una refugiada española)», *Renacimiento. Revista de Literatura*, 27-30, pp. 141-143.

SIERRA GARCÍA, Antonio (sin fecha), «El maestro de maestros del periodismo mexicano: Regino Hernández Llergo», Fundación Manuel Buendía: <http://www.mexicanadecomunicacion.com.mx/Tables/fmb/forouni/bondades.htm>.

UGARTE, Michael (1989), *Shifting Ground. Spanish Civil War Exile Literature*, Durham, NC, Duke UP.

WHITMAN, Walt (1941), *Canto a mí mismo*, Trad. de León Felipe, Buenos Aires, Editorial Losada.

SILVIA MISTRAL

ÉXODO

DIARIO de UNA REFUGIADA ESPAÑOLA

Prólogo de León Felipe
Portada de Carmona

EDICIONES MINERVA
MÉXICO
1940

Prólogo

Señora SILVIA MISTRAL

Mi querida amiga:

He tenido aquí, entre mis papeles, varias semanas sin leerlo, su libro *ÉXODO* (Diario de una refugiada española). Esta literatura de la última parte de nuestra guerra y de la primera de nuestro éxodo nos mete miedo a todos, a mí también; y tengo que entrar en ella venciendo repugnancias y escalofríos como si hubiere de arrojarme a un río congelado.

Sin embargo hay que escribir esta historia y hay que leerla con valor y con frecuencia para que estén ahí siempre, ante nuestros ojos, nuestras miserias y nuestros pecados. Tenemos tan mala memoria los españoles que nos olvidamos en seguida de todo —de la lanzada y de la merced— y nos deslizamos insensiblemente y gustosos hacia el humor... ¿hacia el humor?... hacia la chacota. A veces pienso que nuestra tragedia va a acabar en un tema coreográfico para el ingenio zarzuelero. La última épica de nuestra historia colonial la recogió el género chico, la de ahora es probable que termine en unos cuantos chistes de café. Los españoles... ¡somos tan graciosos! Y ya nadie quiere que le aguen sus chistes. Porque todo aquello parece que ya no es más que agua pasada. Pero es sangre, sangre todavía, sangre que corre y grita. Y a esos chistosos de café no hay que aguarles, hay que ensangrentarles su gracia. Y contarles, el cuento, nuestro cuento, el cuento de la Buena Pipa otra vez.

Usted lo cuenta bien, porque, ahora sí, no hay razón para afinar el artificio. Cuando no hay tema —decía ya Cervantes— hay que usar del estilo y del ingenio, pero cuando el argumento es rico, basta con ir contando. Las mujeres saben ustedes contar bien y con sencillez. Usted tiene una voz inocente y maternal para contar cuentos. Cuente usted, amiga Silvia, cuéntenos usted otra vez el cuento español de la Buena Pipa para que no se nos olvide nuestra historia. El cuento es viejo y la tragedia también, pero nadie la tachará a usted de anacrónica. El dolor gana con la reiteración como la primera plegaria del hombre. La congoja puede más que el tiempo y una lágrima es más dura que un diamante. Cuente usted... cuéntenos usted otra vez sin miedo, el cuento de la Buena Pipa... ese cuento español, viejo, actual, interminable...

Nadie la tildará a usted ni de anacrónica ni de machacona porque nuestra historia no es más que el golglote o monótono de nuestra sangre, fresca siempre, que se derrama sin interrupción por un caño que nuestras propias manos sostienen continuamente abierto...

Su amigo,
LEÓN FELIPE,
México, febrero, 1940

El Buen Amor

24 de enero

Salí de casa, para dirigirme al trabajo, a la una y media de la tarde. Hacía buen sol, aunque el viento era frío y largo como un bramido. Ya en la calle, me he encontrado con el mismo problema de siempre: no había tranvías. Tuve, como de costumbre, que detenerme en una esquina a parar coches y camiones, con gesto cinematográfico.

La barriada obrera en que yo vivo, a cinco o seis kilómetros del centro de la capital, ofrece un aspecto normal y exteriormente no existen en ella indicios de demoralización y ni siquiera de pesimismo. Las mujeres se sientan al sol tejiendo los «sweeter» que comenzaron en el otoño para los hijos soldados. Los niños prosiguen yendo a la escuela y los árboles tienen el mismo color castaño de todos los inviernos. La gente, con brusca socarronería catalana, se burla de la consigna «resistir, resistir», que el doctor Negrín ha hecho popular entre el pueblo. En las fábricas no se trabaja, desde hace mucho tiempo, ya por falta de fluido eléctrico o por carencia de materias primas; sin embargo, los sueldos son abonados por los Consejos administrativos de las empresas.

Apenas quedan jóvenes en la barriada. Su destino se trasluce en el luto de las mujeres. Rostros de obreros, de estudiantes, de niños que ya no veremos más. Sólo queda el recuerdo de lo que fueron: sus sonrisas, sus juegos y sus luchas tempranas, que los condujeron a la muerte.

Esta tarde han cruzado pocos vehículos en dirección a la ciudad. A viceversa, en cambio, es un continuo transitar de camiones, autos y carros que marchan hacia Gerona huyendo de las tropas fascistas que se aproximan. Se asegura que han rebasado las playas de Castelldefels. Algunas personas creen —y yo también— que se establecerán líneas de resistencia y que Barcelona pasará a la historia de la guerra como una digna repetición del Madrid heroico. Por eso, mi confianza y optimismo no concuerdan con el temor y la inquietud de las gentes, que abandonan la ciudad presas de pánico. Es curioso observar cómo a la par que llegan a la ciudad, en doble éxodo, los campesinos de los pueblos arrasados por la invasión, marchan también los barceloneses en busca de horizontes tranquilos, lejanos a las luchas próximas a desarrollar.

Dije todo esto a un hombre, en la esquina, y me contestó:

—¡Pobre muchacha! Vive usted en el limbo…

Después de múltiples gestos, señales y un buen rato de espera, un camión se detuvo ante mí. El chofer me impeló a que subiera rápida por temor a que el auto fuera invadido por los grupos de personas que esperaban, con anhelo, un medio de transporte cualquiera. Me decidía, con un gran esfuerzo físico, a subir al alto camión de guerra, cuando un soldado, ágilmente, se izó de un salto y dándome la mano me levantó casi en vilo. Como el viento era muy fuerte nos sentamos sobre las cuerdas, en el fondo del camión. El soldado resultó un tipo extraño, interesante: los ojos grandes y suaves como los de una cabra. La nariz torcida y la boca grande, amplia y pródiga. Iba mal vestido, con una estrecha camisa militar del antiguo régimen y unas viejas alpargatas de campesino catalán. Era gracioso ver cómo sentaban, en boca tan ruda, las consejas de Séneca y los dichos de fuego de Dantón. Al paso, tumbados sobre la retorcida dureza de las cuerdas, me dijo:

—El cerebro ha avanzado mucho, pero los sentimientos prosiguen siendo los de la Edad Media. No es el señor feudal el único tirano; el capitalismo es una grandiosa colectividad de señores feudales. El orden y la ley imperan en Europa para abatir, por la fuerza bruta, la única Ley que se puede admitir: la Ley del corazón. Los republicanos aseguran que pelean por la libertad de España y del mundo, para respetar las ideas y la vida del proletariado. Como no soy republicano, escucho y callo. Los fascistas guerrean en nombre de un Dios falso, que muestran como verdadero, y este Dios les dice: «respeta a tu prójimo como a ti mismo». Y ellos, como los discípulos de Cristo, utilizan la espada para imponer sus conceptos.

Discutimos todo el trayecto y aún proseguimos la plática sentados en un banco de la Plaza de Cataluña. Pese al aire, había mucha gente tomando el mortecino sol invernal, que cubría de una pátina dorada las flores de los parterres.

Le pregunté por qué luchaba él. Y me contestó:

—Yo acepto la guerra, a sabiendas de que es imposible vencer las poderosas fuerzas de la política mundial. Aherrojando la no intervención, nuestra Revolución no ha hecho otra cosa que lanzarnos en error sobre error. Dantón dijo a Robespierre: «La sangre te ahogará». Nosotros moriremos en mares de sangre. Cada cual ha pretendido imponerme su doctrina, cuando, viniendo del campo, llegué a la milicia, unos me dijeron que la verdad era Dios, otros pretendieron que me arrodillara ante los bigotes de Stalin, a quien llamaban el «Guía amado» y los siguientes repitieron que no había más Dios que el rollizo y dorado Becerro de Oro. Yo vengo del campo; en la guerra no hice otra cosa que abrir grandes surcos en la tierra —las trincheras— y al campo volveré cuando el frenesí de sangre termine a practicar mi única política: la del Buen Amor.

—Yo vengo del campo: en la guerra no hice otra cosa que abrir grandes surcos en la tierra —trincheras—, y al campo volveré a practicar mi única política: la del Buen Amor.

Pensé en el Arcipreste de Hita aunque le faltaba la picardía y la burlonería. Le pregunté si era un escéptico o un amargado y me contestó, con la pasión que ponía en todas sus palabras:

—Ni lo uno ni lo otro. Creo en el poder de la Libertad partiendo del individualismo, o sea: creada por uno propio. Di a la revolución todo lo que un hombre puede dar; cuando la burocracia se impuso, volví a las montañas de los Pirineos, donde desde los ocho años he vivido, pegado a la tierra. Una disposición gubernamental me lanzó a la vorágine de la guerra. Francamente, no daré jamás una sola gota de sangre por defender la República burguesa. Muchos dirán que mis ideas no son prácticas, que no sirven para la realidad; yo tengo mi mundo creado a golpes de arado y entre surcos fangosos. Mi máxima es ésta: «Mi cabeza en libertad».

Sonaron, lentas, preñadas de angustias, las tres de la tarde en un reloj cercano. Al campesino-soldado, vivo ejemplo de la España furtiva, de arado, camino y mula, le tendí la mano, con gesto definitivo:

—Quizás nunca más nos volveremos a ver —me dijo.

El viento levantaba, en pequeñas trombas, la arena de los parques agitando las pancartas de propaganda. Unas muchachas del Partido Socialista Unificado de Cataluña, repartían proclamas. Varias decían:

—«Qué hi fas ací? ¡AL FRONT!»[1]

Otras señalaban, bajo el siguiente título: *«Atenció a la crida de la Patria»,*[2] los deberes que imponían la ofensiva extranjera contra Cataluña. Llamamientos, consignas, órdenes. Todo en nombre de la victoria y la defensa de Cataluña.

Cuando llegué a la casa distribuidora de películas, donde trabajo, estaban rompiendo fotografías de archivo y carnets, correspondencia y recibos, bajo los carteles anunciadores de «Marinos del Báltico».

---

1. «¿Qué haces aquí? ¡AL FRENTE!».
2. «Atención a la llamada de la Patria».

Noche

La calma del barrio obrero engañó mi credulidad. Mi optimismo se engendraba en un absoluto desconocimiento de la realidad.

Con las últimas órdenes de movilización general, los comercios e industrias no trabajan y toda Barcelona se halla en la calle agitada en preguntas: «¿Dónde están ya?», «¿Qué piensa el Gobierno?». En las azoteas hay grandes hogueras, piras trágicas que sobrecogen el ánimo y por la vía pública vuelan papeles y libros rotos. Miro algunas portadas al azar y hay obras de Marx, Bujarin, Roissseau, Blasco Ibáñez, Pío Baroja, Remarque, Barbusse, y toda la colección de obras de José Martí. Los títulos juegan a la baraja con el viento, cuyas manos invisibles los lleva de esquina en esquina, hasta arrojarlos en los oscuros tugurios de las cloacas. Recibos, cartas, pasquines, informes, todo se lanza a la calle, como símbolo blanco de una organización que se descompone.

Grupos de soldados barbudos, sucios y ojerosos, con las mejillas hundidas, ruedan sin control alguno por las aceras. Esto es lo que más defrauda mis ilusiones; ellos son la expresión viviente de una terrible realidad: el Ejército en descomposición. Parece que no exista Gobierno y ni siquiera Estado Mayor. Es inútil telefonear a ministerios y redacciones: no se encuentra a nadie; si acaso alguna mecanógrafa, sin consciencia antifascista, a la que nada importa el drama que se desarrolla y permanece serena, o más bien amorfa, en su puesto de trabajo, fiel a su clase de asalariada de espíritu. ¿Por qué había de marchar? Al preguntarle por su jefe, que igualmente puede ser un diputado, el director de un periódico, un general o un ministro, nos responde:

—Ahora no está aquí. Ha salido y es probable que tarde en volver.

Sólo hay un continuo ir y venir —más bien ir— de camiones y de gente que lleva sus bártulos sobre la espalda. Algunos marchan con la creencia de que es un traslado momentáneo y que, tras organizada la defensa, podrán retornar a los hogares abandonados. Sin embargo, los rostros se alargan en la primera expresión del pánico. Se suceden los combates aéreos, que el pueblo contempla desde las calles o las azoteas. Se escuchan palabras de esta especie:

—Todo está perdido.

—¿Qué cree usted? ¿Habrá resistencia o no?

Empiezan a manifestarse los instintos personales. Aquellos que tienen seguro un medio de transporte adoptan una actitud de suficiencia, de orgullo y de valentía. Especialmente los que han pasado toda la guerra en «imprescindibles servicios de retaguardia». ¡A la vejez viruelas!... Si se interroga a los comunistas, responden:

—Yo recibo órdenes de mi Partido.

Y lo dicen con un tono acusatorio como si fuera un crimen no llevar el carnet estalinista. A un obrero le pregunté qué actitud tomaría la Confederación Nacional del Trabajo y me contestó:

—Seguir al Gobierno.

—¿Crees tú que eso está bien?

—Acaso fuera mejor lanzarse a una defensa que añadiera una página hermosa a la del 19 de julio, pero ya sería ineficaz. Nuestros cuadros están mermados y además, ¿qué, volver a servir de carnada?

A media tarde, una voz amiga me dijo que el coronel Romero, responsable de la defensa de Barcelona, declaró:

«Muchos cañones antiaéreos están desmontados por desgaste, no tengo municiones de artillería, me faltan hombres. He pedido que mandaran la 74 División, para con ella organizar un control y por lo menos garantizar la evacuación de la ciudad. Los pocos hombres que cubren la línea desde el mar al cruce de la carretera de Barcelona a Tarragona han hecho rebasar el río al enemigo, al que apresaron una compañía. ¡Ya ven ustedes qué papeleta me han dado!...

La verdad es ésta: Barcelona sucumbe silenciosamente. Matrona de ubres secas, se recuesta, rendida, en la poltrona de sus sufrimientos, para esperar a los enemigos de su libertad, de su lengua y de su bandera. La cuerda se ha roto. Algunos periódicos lanzan todavía consignas de resistencia, cuando ya todos tienen la obsesión de la frontera, lo cual manifiestan sin ninguna consideración y, como locos, disputan un puesto en los camiones que marchan a Gerona y Figueras. La tensión nerviosa arrastra a acciones mezquinas. Los que han combatido en las trincheras durante toda la campaña, bajan de las montañas prosiguiendo a pie su ruta. Los eternos agitadores de retaguardia sienten un goce especial en atacar y su espíritu medroso y mezquino se manifiesta en la más fea expresión: insolidaridad.

Yo he estado cuatro horas rompiendo archivos y correspondencia. Un periodista alemán me dijo que todos estos autos de fe personales le recordaban los días que siguieron al pronunciamiento de Hitler, tras el incendio del Reichstag.

A las ocho de la noche me he encontrado sin medios de transporte para regresar a mi casa. No había el tren de empleados, habitual a esa hora, en la Estación del Norte. Ya no cruzaban los camiones. Los tranvías, abandonados sobre los raíles, parecían negros fantasmas. He venido a pie por la carretera, solitaria y oscura, pensando en él, que se halla en ese frente cambiable cada mañana. Como los zapatos me hacían daño, me descalcé a los tres kilómetros y el resto los anduve —los gitanos dirían «andé»— clavando los pies sobre el frío asfalto. Mis uñas pintadas de rojo resaltaban sobre el gris sucio del cemento. En derredor todo era silencio y abandono. Ni un guardia. Las ventanas, sin luz, cerradas como ojos de topos. Tras de ellas habría, en algunas, el silencio del vacío, en otras las despedidas llorosas o las piras a donde se arrojan los libros, cartas y papelorios de apuntes que son un mundo para los hombres.

A poco, sonaron las sirenas de alarma y sentí cruzar los aviones sobre mi cabeza. Los reflectores, en su penumbra, permanecieron ciegos. Los cañones antiaéreos, mudos. Algunas figuras corrieron a meterse en las bocas negras de los refugios. Yo no me detuve. Llegué a casa, tarde ya, con los pies desnudos y la carpeta y los zapatos en bandolera.

En una especie de consejo familiar y mientras comía las últimas lentejas, se acordó que yo partiera mañana. Mamá me prepara la maleta y recoge las «tonterías» que me gustan: libros, abanicos, tapices, cuadros y objetos curiosos. Papá busca una cuerda para atar un saco. Ninguno de los dos llora, pero se les cortan las palabras en la garganta.

Ésta es mi última noche en el hogar paterno. Son las dos de la mañana y todavía ando vagando por la casa como si me despidiera de todas las cosas que la forman. Yo que tanto combatí el régimen familiar siento ahora una pena honda, terrible.

¿Volveré algún día?

La fuerza y la razón

25 de enero

Escribo estas notas en el estudio de Él. Recuerdo que antaño tenía miedo a subir por la estrecha y oscura escalera y de permanecer, sola, en el recinto ya medio destruido por las bombas. Ahora me place mirarlo, releyendo una inscripción mural que dice así: «Molts homes porten el cap per luxe».[3] En un rincón yace llena de polvo la guitarra. Las cortinas han sido desgarradas por las bombas. Sobre los tejados ya no revolotean los pájaros. ¿Dónde estarán los pájaros? ¿En qué región habitarán, ahora, las golondrinas, los gorriones y los jilgueros? Todo está, ahora, desgarrado por la guerra.

Voy a partir. ¿Cómo y a dónde? No lo sé.

Salí de casa a las seis de la mañana. Mi padre me dio un gran abrazo, unos consejos y unas monedas de plata. Y se fue a trabajar. Mi madre me acompañó hasta la estación: no había trenes. Después de una hora de espera, ateridas de frío, un comandante madrileño, perteneciente a las últimas brigadas recién llegadas de la otra zona republicana, nos trajo en su coche. El militar me preguntó a dónde iba.

—Por ahora, a Gerona o Figueras —le respondí. Luego, si es posible, y las circunstancias lo exigen, marcharé a América, donde nací.

—Vaya guardándome por allá un lugarcito —me dijo el chófer, bromeando.

El comandante comentó:

—Iremos allá a producir. Los españoles nunca hemos sido ni estorbo ni carga para ningún Estado del mundo, y menos ahora que poseemos una gran experiencia.

Nos dirigimos al Casal Carlos Marx, lugar donde yo tenía que reunirme con una amiga. Ésta había partido durante la noche. Mamá

---

3. «Muchos hombres llevan la cabeza por lujo».

se fue en busca de un camión y yo me senté sobre la maleta, a la puerta del edificio, donde hacían guardia, con pistolas ametralladoras, varios militantes del Partido. En la acera y en los pasillos se agrupaban muchísimas personas, en espera de esos camiones que no llegaban nunca.

Cada media hora había combates aéreos. Muchas sirenas han permanecido mudas. Las mujeres del pueblo asaltaban los locales públicos. Al pasar ante el edificio del Gobierno de Euzkadi, un grupo

—Mientras mi madre va en busca de un camión, yo espero, sentada sobre la maleta.

de féminas descubrió un verdadero cargamento de jabón y leche condensada. En el revuelo, cayó a mis pies un pote de leche. Lo recogí. Con su contenido me alimento desde entonces.

Prosiguen todavía las hogueras, no ya en las azoteas, sino en plena calle. Se escuchan tiros aislados, verdaderamente escasos. La famosa «quinta columna» resulta una fantasmagoría absoluta. Realmente, su actuación no es necesaria. Saldrán, seguramente, cuando el peligro de reacción popular haya pasado, a perseguir y delatar, cumpliendo una cobarde misión histórica.

Ante la voz de «el Gobierno marcha», partidos políticos y organizaciones sindicales se aprestan a seguirles. Las consignas lanzadas en pro de la organización de Batallones de choque y de Fortificaciones, son como pregones en el desierto. Sin embargo, el último gesto heroico publicado en la prensa: el soldado de Morata de Tajuña que ha destripado, a bombazos, tres tanques y hecho prisioneros a sus ocupantes, viene a demostrar que el valor natural y la conciencia de lucha del pueblo español es algo que nunca ellos podrán destruir. Éste es un pueblo vencido, pero no convencido.

Estando en la puerta del Casal me saludó un periodista cubano, el cual me dijo que esta madrugada habían asaltado la redacción del periódico comunista «Frente Rojo». Como se iniciara un fuerte fuego de baterías antiaéreas, me ayudó a entrar, mientras él se iba a informar de las últimas disposiciones de su Partido. Al poco rato, un militante de guardia se acercó, violento e incorrecto, y me increpó:

—¡A ver: el carnet!

Le expliqué que estaba allí en espera de un escritor del Partido, cuyo nombre di, y a la par, guardando a que pasara el peligro de bombardeo. Posó su mirada vidriosa, preñada de insultos, sobre mí y, empujándome, con maleta y todo, fuera del local, me gritó:

—¡Fuera, fuera! ¡Vamos, a la calle!...

Y me hallé en pleno Paseo de Gracia cuando las baterías de defensa antiaéreas arreciaban en fuego intenso. Quise llorar, y no pude. Tenía los ojos tan secos como el corazón. Me senté en un banco hasta que mi madre fue a buscarme.

Pienso si era necesario que mi hermano haya muerto, a los diecisiete años de edad, después de año y medio de lucha voluntaria —sacrificios, dolor y muerte—, mientras se entregaban poderes de fuerza bruta a tipos carentes de conceptos humanos. Recuerdo una carta en que me

decía: «Mi sacrificio y el de tantos y tantos compañeros, no será en vano».
Lo veo ante mí, como era, muchacho altísimo, alegre e idealista. Cuando luchaba en Huesca, decía que soñaba con el Canadá, donde hay verdes llanuras y poblados bosques. Y escribía: «Ya sé montar a caballo». Guiñaba los ojos y los soldados le llamaban «Picatresos», nombre de un pájaro muy conocido en Cataluña que suele mover continuamente los párpados. Cuando las tropas fascistas avanzaban hacia Castellón, casi toda la 28 División fue diezmada, en el afán de detener el avance enemigo. A él, lo enterró vivo la explosión de un obús y pocos días después —¿cómo y dónde?— moría en cualquier hospital de sangre.

Cuando mi madre grite, ¡qué grito no será el suyo!

Ahora parto yo también. La primera hija marcha a tierras extrañas, el último hijo yace en tierra amiga, sepultado por un obús extranjero. Éste y el sujeto que me lanzó a la calle esta mañana, poseen la fuerza. Nosotros: los muertos, los que nos vamos en carros de dolor, y aquellos que se quedan para morir o continuar la lucha, poseemos la razón.

Preludio

26 de enero

Amanece sobre Gerona. He llegado a las seis de la mañana, en un camión donde iban los miembros de propaganda exterior de una organización obrera: un francés, dos rusos expulsados de su país en 1921, un italiano y un lituano. Cuando ya no hallaba transporte para salir de Barcelona, mi madre halló éste.

Los aviones facciosos volaban ya a escasa altura, sin que las sirenas dieran la señal de alarma, no dispararan un solo cañón antiaéreo, ni apareciera un avión leal. Ni los muertos eran extraídos de entre los edificios derrumbados. El Gobierno ya hacía dos días que había saltado desde Barcelona a Figueras. Los diputados tienen un pie en España y otro en Francia.

Cuando partía, mi madre me dijo: «Sé buena».

Vine todo el camino encima de un saco de libros. Me mareé. Me dijeron que suspiraba: ¡quiero volver a Barcelona!

Ahora estoy aquí. ¿Qué hacer? Seguiré en el camión, en el cual nos trasladamos a Salt, pueblecito cercano a Gerona. El Comité Nacional de la organización obrera celebra reunión especial. Ha caído, por casualidad, el acta en mis manos. Se dice en ella que en la conversación sostenida con Negrín se habló de la necesidad de destituir a Modesto, y de la conveniencia de dar el mando a Cipriano Mera; que el general Hernández Sarabia había prometido —y creo cumplido— la libertad de todos los presos antifascistas, que por una u otra razón, especialmente por rebelarse contra el sectarismo estaliniano, se hallaban condenados en las prisiones catalanas; que se procedería a la búsqueda de la 133 Brigada Mixta para incorporarla a la 74 División y así organizar la resistencia parcial, tras de la caída de Barcelona.

Busco, inútilmente, alguna cara amiga. Los camiones salen en expediciones rumbo a Llansá, villa cercana a la frontera. Yo deseo quedarme hasta el último instante. Apoyada contra la pared, miro la continua lluvia que empapa la tierra fangosa y la niebla baja que cubre las montañas. Por la carretera pasan los vehículos con tropas y población civil. Reconozco a varios escritores, militares y políticos conocidos: van ojerosos y cansados.

Adentro, el italiano desfallece en un rincón. Me dicen que ha estado mucho tiempo en la cárcel por haberse rebelado contra un oficial comunista. Lo miro atentamente: tiene los ojos cerrados, pero así y todo, se percibe que sus párpados están prendidos casi en las cejas; la boca se junta con la nariz dejando ver la carnosidad de las encías. Y además, le falta una oreja. En cada aventura, este hombre ha ido dejando pedazos de su carne.

Hace tres días que no ha comido, tiene frío dentro de su manta raída y se duerme con suspiros de enfermo. Venciendo un poco mi repugnancia, le doy, como a un niño, cucharada a cucharada, un poco de avena que he hervido en un pote de leche, rematado en sus bordes con una piedra. Enciendo fuego cada dos horas, entre dos ladrillos, y repito el hecho hasta que puede, por su propia mano, ingerir los alimentos.

¡Yo he sido el último!

El amanecer me despierta sobre mi improvisado lecho. Los cristales están empañados por el rocío de la noche y la escarcha cubre los surcos que aún conservan la reciente huella del arado. La carretera ya no es blanca, ni bulliciosa. Sólo unas campesinas aldeanas, cruzan con sus cántaros, a buscar agua a la fuente. Todo resbala sobre ellas.

A media mañana, me he encontrado con un viejo amigo. Ha salido de Barcelona esta pasada noche, en un camión de la limpieza pública.

—En la revolución de octubre, Dencás salió por una cloaca —comenta, irónicamente.

27 de enero

Durante todo el día, como ayer, es un continuo llegar de gente que ha salido de Barcelona con la última angustia. Las mujeres y los niños son enviados a las colonias fronterizas. Se improvisa la comida, los servicios de transporte y organización. Pasado el primer estupor de la tragedia, cada cual obra como si estuviera en una estación de tránsito, en ruta hacia nuevos horizontes. Pocas personas suponen que en nuestra vida se ha abierto un precipicio y que ya queda completamente separado el mañana del ayer. Desde esta fecha solamente quedará el hoy, presente de dolor uniforme.

A media noche, sobre unos sacos de paja, seis personas nos hemos acostado, vestidas, tapadas con los abrigos. El amigo y yo discutimos un rato sobre el amor. Yo creo, todavía, en el amor único y las aventuras me semejan superficiales caricaturas del amor. Él opina, por el contrario, que la aventura tiene un carácter trágico que la aparta de caer en la vulgaridad de un capricho. Cuando se duerme lo miro. Parece bueno. Bien es cierto que dormidos todos los hombres parecen niños.

A las dos de la madrugada me ha despertado la conversación, en altos tonos, de un oficial. Me incorporo, sobre la paja, que me aguijonea como si fuera un batallón de pulgas, y escucho lo que dice. Acaba de llegar de Barcelona y explica las últimas horas vividas en la ciudad. En la noche del miércoles al jueves, los invasores dominaban, desde el Tibidabo, toda la capital. Con el material llegado —¡demasiado tarde!— el miércoles, un grupo de jóvenes libertarios descendieron desde Montjuich hasta la Vía Layetana, donde se hicieron fuertes. Para reducirlos, hubo necesidad de traer piezas de artillería y tanquetas italianas. Parte de una división diezmada por los avances fascistas incendió varios vagones de materiales y subsistencias en la estación de San Andrés, donde yo los había visto, durante quince días, abandonados en una vía muerta.

Este capitán repetía, con excesiva frecuencia:

—¡Yo he sido el último! Salí cuando «ellos» desfilaban, brazo en alto, por la Plaza de Cataluña.

En esa noche llegaron muchos más soldados y oficiales y todos, sin distinción, han repetido idéntica frase:

—¡Yo he sido el último!...

Llega a ser una verdadera obsesión y degenera en un motivo cómico que ridiculiza al que lo dice. Todo el mundo quiere ser el último y naturalmente estos «últimos» suman centenares.

29 de enero

El caso más emocionante ha sido que, dado que aquí reside momentáneamente el Comité Nacional de la Organización anarcosindicalista, ha llegado un numeroso grupo de soldados de cierta división, bien armados, con ánimo —así por lo menos parecen demostrarlo—de evitar alguna problable escapada a la frontera. Son guerrilleros honrados pero aseteados de temores y de sombras. ¡Han visto tantas cosas en la guerra!... Acamparon en derredor del edificio y hasta hacen guardia, como si aún se hallaran en la trinchera. Esto obliga a que se responda con otra avanzadilla vigilante, ante la puerta, que se repone cada dos o cuatro horas. No me parece inteligente su actitud pero denota una desconfianza muy significativa. Si todos fueran igual a ellos, a estas horas, probablemente, no estarían los responsables republicanos firmando pasaportes y arrastrando sus valores por las carreteras.

Sin embargo, el ambiente es tranquilo y no ha desaparecido la sensibilidad. Algunas veces los extranjeros me piden que les declame versos. Militarmente todos consideran la guerra perdida, pero saben que el antifascismo ha ganado la batalla moral. La base de resistencia en que tendrá que levantarse el fascismo labrará su propia ruina. La gran vitalidad que subsiste de entre todas las desventuras, hace que se sucedan estas escenas de paz en el éxodo.

El lituano discute conmigo sobre el valor poético de los versos de García Lorca. No le gustan o no los comprende. Dábamos vueltas en derredor de «Preciosa y el aire». A poco, todos corrimos de la ilusión de los campos andaluces, donde Preciosa, llena de miedo, huía del viento, a la realidad del campo catalán.

Los aviones bombardearon Gerona y sus alrededores. El balance ha sido de veinte muertos y cincuenta heridos. Sobre las caravanas de fugitivos, el fascismo tiende su manto de muerte y destrucción. Ningún sentimiento humano los detiene: su furor nos perseguirá hasta la frontera.

31 de enero

Se habla de partir. Considerando que el Gobierno se halla en Figueras, nos trasladaremos a un pueblecito cercano. Antes de marchar he ido a Gerona. Los soldados, desbandados, sin mandos y sin disciplina, agotados por las caminatas y el hambre, hacen «cola» —fila india de esperanzas derrumbadas— ante la Intendencia. Al regreso hubo otro bombardeo. Me tiré al suelo, mojado, contra unos muros. Además, puse un lápiz entre los dientes. Retembló la tierra y las bombas cayeron a cien metros, levantando el fango hacia el cielo y llenando la atmósfera de un humo negruzco. No hubo muertos ni heridos.

Y nuevamente a andar. Nuestra vida parece un eterno viaje, en el invierno y en la noche. Éstos son paisajes donde nada ríe.

Sombras blancas

2 de febrero

A Pons de Molins se le puede calificar «un pueblo temeroso de ladrones», pues todas las casas están agrupadas dándose espalda con espalda. Es ruta segura a la frontera y su paz medieval es rota durante todo el día y la noche por los vehículos que conducen gente a Francia. Por aquí veo pasar a muchos soldados que son reintegrados a las unidades militares por los servicios de control y recuperación. Uno ve lo inútil e injusto de todo esto, pues mientras los componentes del gobierno marchan camino de Francia, remiten a los soldados al encuentro del fascio. Es una hipocresía ingenua y de mala fe.

Desde que llegamos no hacemos otra cosa que escuchar el radio, captando las noticias que sobre España emiten las emisoras del universo. Cada uno recoge las noticias, según los idiomas que domina. El lituano se encarga del inglés y el alemán, un ruso del francés y nosotros del español. Al final se hace una especie de Boletín Radiofónico que suple la carencia de periódicos. En las esquinas hay unas hojas de «Frente Rojo», que, verdaderamente, nadie lee.

Este pueblo no lo recordará nadie mañana. Es un detalle español perdido en la gran tragedia que nos conmueve. Pero aquí hay un río delicioso que nace en los Pirineos franceses y desemboca en el Golfo de Rosas: le llaman Muga. Me parece nacer para la vida, como si me bañara en las aguas de un nuevo Jordán. Creo haber estado demasiado tiempo fingiendo, siendo lo que Pedro Salinas llamó «la criatura de los azares». Soy más yo, mi alma es más mi alma, desde que los prejuicios se han desprendido de mí. He nacido…

… Y otra mujer ha muerto. Fue esta tarde pocos minutos después de las cinco. Era una joven enfermera de veinte años. Sin que nadie pudiera evitarlo, vimos cómo se lanzaba a la presa. La corriente la arrastró un largo trecho con ímpetu y luego su cuerpo se enredó en unos zarzales. Cuando la recogieron era una pobre masa agonizante.

Nadie hizo comentarios. ¿Qué iba a decirse? Un soldado se puso a cantar, al poco rato, en su lengua nativa:

La cançó del lliri d'aigua[4]
Si la voleu escoltar
Es la cançó de una noia
Que el riu se la va emportar.

3 de febrero

Cuando uno se levanta por la mañana, tiene los huesos doloridos y el cuello tieso. Con los ojos semicerrados se suspira por la blandura de los colchones hogareños y la caricia de las sábanas blancas. En Pons de Molins no he podido hallar paja y, quieras o no, tuve que echarme sobre las losas terrosas y frías. Ésta es una antigua casa de dos pisos, en cuyas habitaciones hay todavía los armarios con la ropa dominguera de los aldeanos jóvenes. Enfrente, hay una fuente de un solo caño. Las campesinas con sus botijos esperan turno; llevan el pañuelo de la cabeza inclinado sobre los ojillos menudos. Parecen frías. ¿Lo son en realidad?... Ellas, como las piedras aldeanas, permanecen inalterables, sujetas a sus faenas diarias como esclavos a su cadena. El mundo marcha, pero lo ignoran.

En una casa cercana, hay varios oficiales que visten impecablemente, comen muy bien y viven a puertas entornadas. Son los que esperan, pausadamente, y hasta quizá con cobardía, el instante de poder sacarse la careta y levantar el brazo a la altura de la nariz. Mientras los grandes camiones con material o gente, se deslizan sobre la húmeda pista de la carretera. La lluvia pertinaz y lenta, hiende las tierras altas. Las familias de campesinos pasan en sus carros, sentadas las mujeres y los niños sobre los sacos y arqueando el látigo, el cabeza de familia. Se unen dos épocas en el éxodo: la de las mulas de carga y los carros y la del progreso puesto al servicio de la guerra.

---

4. «La canción del lirio de agua / si la queréis escuchar / es la canción de una joven / que el río se la llevó».

Los aviones fascistas bombardean cruelmente la población de Figueras. Desde las riberas del Muga se han visto descender los aviones y arrojar su mortífera carga. Grandes humaredas envuelven la ciudad. Pocas horas después, una interminable fila de vehículos emprende la ruta hacia la frontera. Por la ventanilla de un coche, un niño herido asoma su cabecita vendada: sus ojos se agrandan, secos, en un asombro indescriptible. Es triste que muchos niños no puedan llorar. Que no pregunten. Que no se quejen.

4 de febrero

Partimos nuevamente a la madrugada. Hace frío. Como ha helado toda la noche, los arbustos que crecen al borde, en las cunetas, tienen sobre las hojas una blanca capa de escarcha. La oscuridad aún no ha sido rasgada completamente por la luz del día y las figuras errantes que andan tienen una apariencia de sombras blancas, al recortarse sobre el grisáceo panorama matutino.

Caravanas de hombres, de mujeres y de niños. De soldados dispersos y campesinos fugitivos. Apenas nadie habla, sino es para quejarse de cansancio o para animar a proseguir esta ruta que parece no tener fin. Las pupilas se cansan, y hasta el alma, de esta emocionante visión del éxodo, de tanto contemplar —unos a otros— la marcha hacia nuevos horizontes. Un soldado cuenta que había estado en las retiradas de Bilbao, Santander y Gijón; luego en la del Ebro y finalmente en ésta que, acaso, no hay que afirmarlo mucho, sea la última. Por eso alguien dijo que «los soldados españoles son soldados de alpargata».

Hay grupos que se detienen en cualquier recodo y allí encienden fuego para calentarse y comer, si es que llevan algo en sus mochilas. Muchos de ellos dormirán enrollados en una manta que el rocío cubrirá. Los enfermos tienen una voz carrasposa y terrible. Algunos se mueren en el camino antes de llegar a la frontera. Los vemos encorvarse en un rinconcito cualquiera, con el rostro lleno de esa dulce serenidad de los recién fallecidos. El hielo los conservará frescos durante algunos días.

En otros grupos campea el buen humor. Es un medio de sobreponerse a la tragedia circundante por medio de la ironía. Por eso gritan a los compañeros que pasan:

...una madre nos imploró: «parad, parad, no por mí, sino por mi hijo...»
y levantó en brazos sobre su cabeza, un niño...

—¿A dónde vais?

—Vamos ganando posiciones hacia la frontera.

En el camino hacia Llansá nos encontramos con una muchacha a la cual dimos unos zapatos, condolidos de sus pies desnudos. Marchaba sola, por la carretera, con los zapatos en la mano. Al pasar nos gritó:

—Me los pondré al entrar en Francia... para que no digan que somos un «pueblo inferior».

Y sonreía irónicamente.

En una vuelta, una madre nos imploró:

—Parad, parad, no por mí, sino por mi hijo...

Y levantó en brazos, sobre su cabeza, un niño de cinco años. Nadie detuvo sus vehículos. Era para jurar, llorar o matar. Eran miles de madres y de niños, de ancianos y de heridos que huían del fascismo, sin ninguna —¡ninguna!— protección.

Niños, solos, de once, doce y trece años, se encuentran por todas partes. Siguen a los grupos. ¿De dónde vienen y adónde van? Ellos no lo saben. Marcha toda la fuerza vital de España. Nadie quiere quedarse. Se pierde la guerra; pero algo conmueve a todos: saber que una masa de cuatrocientas mil personas desprecian el fascismo.

Se sabe que el Estado Mayor Central ha informado al consejo de Ministros y con ello al propio Negrín, que consideran la guerra totalmente perdida, no solamente en Cataluña, sino también en la zona central. Sin embargo, el presidente prosigue su guerra de palabras y manifiestos, sintetizando en tres sus ya famosos Trece Puntos.

5 de febrero

Acampamos cerca de una acequia en lo alto de una de las montañas que rodean Llansá. Nadie sabe qué hacer; si retornar al pueblo o proseguir la marcha hacia Port-Bou. Por la tarde, regresamos al pueblo donde nos dan un local para descansar; pero apenas entrada la noche hemos de abandonarlo por ser destinado a la oficialidad de una División. En el instante mismo de salir a la calle, hay un bombardeo; afortunadamente, las bombas cayeron en campo libre. Estos mismos aviones destruyen un aeródromo, cercano a la Garriguella. Aquí hay concentradas algunas fuerzas y personalidades militares.

Logramos hallar otro local, antigua casa de aspecto señorial, profusamente decorada, llena de espejos y de suaves cojines de plumas. Llega un batallón de destrucción encargado de volar, con dinamita, los puentes y vías de comunicación.

Dormimos apiñados y al amanecer, cinco mujeres, acordamos abandonar a los hombres y entrar en Francia. Un camión, guiado por un chófer francés, nos espera a la salida del pueblo. Las mujeres lloran al separarse de sus compañeros. ¿Los volverán a ver? Es ésta la más desgarradora de las escenas del éxodo. El conductor da la orden de partida y los brazos se desatan por la fuerza. Adentro, hay infinidad de cajas y de bultos. Son, sin duda, archivos y valores. Se cierran las puertas y todas quedamos sumidas en la oscuridad. Negrura en el ambiente y negrura en el alma.

* * *

Mientras unas mujeres lloran y otras comen unos pedazos de queso, miro el paisaje por una hendija de la lona. La carretera empinada y de múltiples vueltas y revueltas, es una enorme fila de vehículos. Cuando llegamos a la cúspide de una montaña se ve, como si fuera una serpiente interminable, camiones y más camiones, detenidos. El que nos conduce es de matrícula francesa y puede pasar con bastante facilidad.

El terror nos invade a todos, cuando una escuadrilla de aviones aparece sobre el mar y ametralla a los carros de campesinos y a los camiones llenos de gente. No hay ninguna defensa: por un lado, el precipicio, y por el otro, la alta montaña. Mujeres, niños, caballos, todo se mezcla sobre el asfalto de la carretera.

No hay perdón posible, ni olvido.

A las cinco de la tarde entramos en Francia después de atravesar la agitada Port-Bou. Las mujeres han cesado de llorar y todas llevamos el pensamiento repleto de la Francia de la trilogía «Liberté, Egalité, Fraternité».

Nos dejan en el puesto de gendarmería y el camión sigue rumbo con todos nuestros bagajes. Nos prometen que vendrán a buscarnos enseguida. Mas no es así. Cae la noche y el frío nos obliga a unirnos más estrechamente. Los soldados franceses, robustos y rojizos, nos sonríen picarescamente. Una escuadrilla de aviones facciosos ametralla a la caravana más cercana a la línea fronteriza. Pasa sobre terreno francés y las baterías antiaéreas de la frontera disparan sobre ellos. Los soldados de guarnición aplauden a sus compatriotas. A nuestra vez, sonreímos benévolamente.

A las ocho de la noche se da la orden de entrada libre en Cerbère; nuestro afán es tan grande que echamos a correr. Las luces nos engañan y aflojamos el paso. La carretera da inmensas vueltas que parecen alejarnos del pueblo y que nos cubren su vista. Rendidas, nos sentamos a descansar junto a las tapias de un cementerio. Tumbas bien cuidadas, cruces blancas y negras y un olor a florecillas de invierno. Crece la yedra sobre los muros y vuelan murciélagos. No tenemos miedo: los muertos son nuestros amigos.

«Rossinyol si vas a França, rossinyol...»

6 de febrero

Una gran fila india de españoles desciende por la montaña, hacia la carretera. Bajo los árboles, descansan algunas mujeres con niños, tapadas con ligeras mantas. Las maletas y bultos se han ido dejando por el camino; por eso, los montes están cubiertos completamente de ropas abandonadas. Los niños lloran, clamando ser cargados en brazos. Tras de tantos esfuerzos, la caravana se convierte en un montón silencioso de cuerpos multiformes. En la calma de la noche se escuchan gritos y llamadas. Entre la niebla, aparecen, gigantescos, con los ojos inyectados de sangre, caballos y mulos. Cuando se acercan, parecen personas; andan por las lomas, como perros sin dueños. Una anciana se confunde, al oír unos pasos, pues cree que es un mulo y aparecen las toscas botas de cuero de un soldado.

—No, no soy un mulo —aclaró. Soy «los Trece Puntos de Negrín».

Decidimos proseguir la marcha y llegamos a Cerbère, muy entrada la noche. En la carretera, junto al mar, unos gendarmes nos colocan en grupos, separadas de los hombres. Era inútil declarar que eran padres, esposos, hermanas o hijos. Implacables, herméticos, los gendarmes arrancan a las familias de su unidad. No puedo explicarme este sistema de acogimiento. Entre nosotros hay una sorpresa dolorosa. Muchas familias llevan años de separación y ahora, en el éxodo, una disposición fría y absurda, les quita lo único que puede subsistir para todos: el amor familiar. Continúa el vía crucis.

Contemplo el mar, reververado de luces, las barcas de pesca, pintadas de colores chillones y con nombres franco-catalanes. Unos perros husmean por la playa. De un café salen unos jóvenes que encuentro demasiado alegres: nos miran como si fuéramos animales de feria… Un leve empujón de mano gala y el primer «allez, allez», nos ordena andar de dos en dos; y como reos, atravesamos toda la villa fronteriza hasta llegar a la estación.

La gente duerme al raso, bajo la noche inclemente. Las cinco mujeres hacemos una pequeña reunión. ¿Dónde dormiremos? La obsesión de las maletas no nos deja razonar bien. Entre montones de bultos abandonados hallamos parte de nuestros respectivos equipajes. No encuentro mis libros, mis artículos, mis pequeños objetos de arte, y esa pérdida parece separar mi vida en dos etapas. Mas, como la realidad se impone, hago «una descubierta», en busca del lugar apropiado para pasar la noche. El andén está tan atestado de gente que es imposible hallar un pequeño lugar. Por fin, logramos que nos den permiso para descansar, en un autocar de aviación.

A la mañana siguiente la fortaleza femenina decae, y tres muchachas empiezan a llorar. Quieren regresar a Port-Bou, a pie. Ninguno de nuestros razonamientos es suficiente para impedirles la partida: se van a media mañana.

Hablo con los comisarios de la jefatura y éstos me niegan el permiso para ir a Perpignan. Bloqueadas, sin esperanzas, sin destino alguno, pasamos todo el día sentadas sobre las maletas. Vendo por veinte francos una sortija y por un duro español, en plata, el cantinero de un café me da nueve francos.

Un agente fascista me propone pagarme el viaje a Hendaya y darme, además, quinientos francos, si consiento en regresar a España.

—¿Qué puede usted temer? —me dice ingenuamente.

Le miro; viste como un *gentleman,* en la temporada de caza; lleva polainas y latiguillo. Viene a buscar un intérprete: un gendarme nacido en Cataluña, y a repetirme la oferta varias veces. Me niego rotundamente.

* * *

Por la tarde, pasan, custodiados por soldados, algunos hombres. Veo, primero, a los hispanoamericanos voluntarios. Entre ellos, muchos mexicanos, cubanos, uruguayos, argentinos y yanquis. En las aceras, se concentran todas las mujeres, esperando hallar algunos de sus familiares extraviados. Una mujer reconoce a su marido entre los que pasan, y, dando un grito enorme, que parecía una loca, rompe el cerco de soldados, lanzándose en brazos de su marido, es una escena conmovedora. Los soldados le arrancan, por los hombros, del abrazo, y otra vez el trágico «allez, allez» resuena en nuestros oídos. Pegan a los jóvenes, empujan a los heridos que, debido a su estado, no pueden andar deprisa. Estamos, cruelmente, todos separados para el tiempo que dure la estancia en Francia. Es todo tan horrible que mi compañera y yo decidimos partir. Casi por la fuerza, nos adentramos en un autocar que se dirige a Perpignan. Entre las protestas de las muje-

Pegan a los jóvenes, empujan a los heridos que, debido a su estado, no pueden andar deprisa...

res, que no aceptan nuestra intromisión, voy mirando la carretera, por donde, siempre, pasa el pueblo español. Atravesamos, de noche, Port-Vendres, donde un cargamento de naranjas es devorado en pocas horas por los acogidos a la hospitalidad francesa. Circulan todos de noche, acaso para que el pueblo francés no tenga que molestarse en contemplar esta visión de judíos errantes. Al llegar a Argelès-sur-Mer, un destacamento de senegaleses nos ordena regresar a Cerbère. Retrocedemos y a una distancia de dos kilómetros se decide acampar, en un lugar denominado «Pont del Recó». Extendemos las mantas junto a un pequeño riachuelo; podremos, al fin, lavarnos la cara.

8 de febrero

Ha pasado un día en el autocar. Las mujeres ejercen una dictadura sobre nosotras y no hacen otra cosa que herirnos y lanzarnos indirectas. Por eso, las dos, nos vamos a la carretera y allí pasamos el día viendo cómo cruza la gente. Comandantes, capitanes y hasta un Teniente Coronel aún con sus galones. Enfundados en sus ropas de cuero los aviadores marchan a pie. La «gloriosa» va hacia Argelès.

Por el sendero de la playa regresan del campo, escapados, algunos soldados. Los que llegan al puente les preguntan:

—¿Está lejos?

—No mucho, dos o tres kilómetros, pero sólo hay arena…

Muchos no quieren creerlo. ¿Es esto Francia? Les damos jabón, alpargatas y casi toda la ropa masculina que llevamos.

Cuando la noche cae, cubriendo de negro las montañas, sólo se escucha el murmullo del agua sobre la hierba. Algunas mujeres abandonan el autocar y duermen, a solas o con soldados, bajo la arboleda. Se improvisan cunitas para los niños y las personas mayores se encorvan en los asientos. Huele a excremento, a alientos fétidos y casi es preferible irse a dormir bajo el frío de febrero. Un niño se enferma. Era ya de prevenir: lo tienen todo el día sucio y hambriento y cuando aconsejamos a la madre la necesidad de sacar el niño al aire libre, nos contesta airadamente:

—¿Es el niño suyo? Si no le gusta, márchese. No venga aquí a hacer papel de marimandona.

Callo, para evitar la pelea aguda. Mis compañeras: una aragonesa llamada Esperanza y una riojana, Encarnación, contestan airadamente, dando lugar a una escena arrabalera. Yo pienso cuándo acabará todo esto. El chófer no quiere ir a Argelès por temor a que lo internen en el campo y las mujeres se niegan a regresar a Cerbère porque piensan hallar a sus familiares en Perpignan.

A media noche pasan unos soldados, con un cerdo, que chilla atrozmente, llenando el campo de sobresaltos. Gime el río y en su ribera se elevan dos voces masculinas, impregnadas de odio.

—Así que ahora te has quitado los galones para parecer un soldado, para que no se acuerden de tus felonías. Creías que éramos un rebaño, te reías de nosotros, nos amenazabas a la menor falta con el fusilamiento; mientras tú merecías los honores de tu partido y te exaltaban como un héroe.

—Yo no tengo ninguna culpa de lo que sucedió. Cumplía órdenes, y nada más.

—Órdenes a golpe de fusil. Órdenes con lentejas. Órdenes a pico y pala. Ahora no te escapas, ahora me las pagarás todas juntas. No eres de los «nuestros», no; eras lo que eras, no porque nadie te hubiera elegido, sino porque te había nombrado tu partido. Nos abandonaste, nos dejaste cuando mayor era el peligro. Si fueras de los nuestros sabrías respetar, cumplir, tener cierto tipo de responsabilidad. No vengas ahora con «Camarada, camarada», porque ya no nos engañas, somos viejos revolucionarios y tú venías a enseñarnos… ¿Dónde diablos estarías tú el 19 de julio? Ladrón, granuja…

Ruido de lucha y un golpe seco, como de un cuerpo duro que cae al agua. Luego, nada: silencio en la noche trágica.

Argelès-sur-Mer

«¡Hurra por los muertos!
¡Hurra por los que cayeron!
¡Hurra por los generales
que perdieron el combate
y por los héroes vencidos!

WALT WHITMAN

En Argelès es más fácil entrar que salir. Una playa inmensa, y nada más. Ni caseta, ni agua, ni comida, ni enfermeros, ni medicinas. Sólo la arena y el mistral. Y los senegaleses. Altos y negros, semejan niños a los que se ha dado un fusil y un uniforme y una orden de matar. Nadie puede imaginar cómo es esta playa con el frío y en la noche. No hay una venda para los heridos ni un poco de agua hervida para los enfermos. NADA. 75.000 o 100.000 hombres duermen bajo el rocío, sin mantas muchos de ellos. Por la mañana algunos amanecen secos, congelados por el frío.

Es imposible comprenderlo; pero ya se hacen reclutamientos para Franco. Especialmente se le hacen ofertas ventajosas a los aviadores. A los que aceptan les obligan a dejar las mantas. Los pocos «sphais» que hasta ahora hay, asaltan a los asilados, robándoles sus objetos de uso personal: relojes, encendedores, etc., mientras los gendarmes quitan, con el pretexto de que «no se ha pagado aduanas», las máquinas de escribir y fotográficas. Un francés nos ha dicho, en el pueblo:

—Yo tengo, hoy, vergüenza. «La grande honte d'être français».

* * *

Como bestias, tras los alambres, los españoles, sin mantas, sin comida, sin sol; heridos, moribundos, son lanzados al desierto de arena. Un poco de paja sobre ella, sería un lujo. Las órdenes son feroces. Dan una lata de sardinas, cada veinticuatro horas, para quince personas. Dos o tres niños se mueren cada día. El personal sanitario, sin

82

otra compensación que la satisfacción humana de ayudar a sus compatriotas, trabaja día y noche, con una voluntad inolvidable.

Por un pan o unos cigarrillos los soldados confraternizan con agentes fascistas. Muchos franceses lanzan la voz de ayuda y leo lo siguiente en un periódico:

A l'aide! Il ne sera pas dit que nous laisserons déshonorer notre pays. Pour ces hommes qui ont tant souffert, pour leurs blessés et leurs malades traités comme chiens...[5]

Muchos asilados, sobreponiéndose a la indolencia, al desaliento, traen de un cercano río pantanoso, cañas, palos y juncos y construyen cabañas. Algunos, imprudentes, arrancan para hacer leña, las estacas que sostienen los viñedos. Mas, ¿qué van a hacer? Los gendarmes y senegaleses, como si fueran a la colonia, traen sus estupendas tiendas de campaña y se instalan a pocos metros, con soberbias ametralladoras a la entrada. Algunos gendarmes hacen excavaciones en la arena. Pensé que irían a enterrar algún cadáver. Me quedé estupefacta cuando supe que buscaban oro, ORO.

—Se ha descubierto un filón —dice uno con malicia.

Mis compañeras buscan caras amigas, sus familiares, yo pregunto por Él. Nada. Hablo con un comandante a quien mataron su mujer y sus dos hijas en el bombardeo de Figueras. Divaga. La obsesión de México se manifiesta, también, trágicamente. Un joven teniente anunció a sus amigos:

—Me voy del campo.

Le vieron cómo recogía sus maletas y su raído abrigo, y partía.

—¿A dónde vas? —le preguntaron.

—A México, a México... —contestó alegre.

E iba, hacia el mar, adentrándose en el agua. Los amigos corrieron hacia él. Marchaba a México, por el mar, como Jesucristo, sobre las olas. Había perdido la razón.

---

5. «¡A la ayuda! No se dirá nunca que dejaremos deshonrar nuestro país. Por esos hombres que tanto han sufrido, por sus heridos y sus enfermos tratados como perros...»

Port-Vendres

Cuando las alambradas se extienden, circundando el arenal, y los senegaleses colocan estratégicamente sus ametralladoras —contra un ejército sin armas— nosotras pensamos en volver al autocar. Partimos cuando llega el primer camión de pan, que los beneméritos de la Guardia Móvil arrojan sobre la arena, como a canes. El hambre hace tirarse sobre él a muchos hombres, pero otros, con un gesto de dignidad, permanecen quietos.

Por la playa, aún poco vigilada, regresamos al «Pont del Recó». No queremos ver más.

Llegamos cuando ya las mujeres decidían partir de aquel solitario lugar y regresar a Port-Vendres. Nos acogieron con fría indiferencia, aunque no se opusieron a que volviéramos a ocupar nuestros asientos. Y así abandonamos Argelès y sus alrededores. Por la carretera yacen muchos soldados, rendidos por la fatiga. Esperan que una voz amiga les diga:

—Compañero, falta poco.

Ese «poco» son veinte, treinta, cuarenta kilómetros y tras ellos, el ancho campo desolador. A nosotras nos ha dicho un gendarme:

—Hacia allá....

El allá, sin más, son unos almacenes del puerto. Al entrar se me cayó el alma a los pies. No la recogí porque el alma de una refugiada debe de tener muy escaso valor.

En las cuadras, hacinados sobre la paja sucia, estaban heridos, enfermos, mujeres y niños. Me hizo una gran impresión un herido jovencísimo que lloraba, desconsolado, sobre su pierna llena de pus. Recordé a mi hermano... PESTE. GRITOS. LLANTO.

Hemos querido escapar y ha sido imposible: los gendarmes a cada lado, oponen una barrera infranqueable. Tienen el corazón azul oscuro, como los uniformes y el alma de hoja de lata. Somos prisioneras de una «nación amiga».

Sentadas en unos ladrillos contemplamos el pueblo. Linda visión. Casitas de techumbre roja, con jardincillos que resbalan hacia el mar azul. Barcos de cabotaje, lanchas pesqueras, redes tendidas al sol y viejos catalano-provenzales, que fuman en pipa. Triste es que estos paisajes tengamos que recorrerlos entre nubes de llanto y figuras de gendarmes, que reviven en nuestra mente a la guardia civil española. Y si aún hubiera una sonrisa franca y una mano amable que se nos tendiera. Pero no hay nada. Solamente gendarmes y medicastros.

Sin delicadeza ninguna, a las mujeres nos han vacunado en la vía pública, ante la ansiosa mirada de cincuenta marineros del buque de guerra «Cyclone»...

El médico militar —o aprendiz de médico— que nos ha vacunado aquí, pega a los niños si éstos se rebelan contra él, por miedo o nerviosismo. Un niño de siete años, se desprendió de los brazos de la enfermera, corriendo entre los vagones de carga, con gesto de horror. El médico, sin poner atención a su dignidad profesional, se lanzó a su captura. Fue un instante mudo: corría, veloz y pálido, el niño, y tras él, revoloteaba la blanca bata del doctor.

Lo alcanzó, al fin, lo *abofeteó* duramente y desmayado el niño, entre sus brazos, lo vacunó, mientras los gritos dolorosos de la pobre madre llenaban el aire de lamentos.

Cada bofetada me sonaba en los oídos y en la carne como un vergajo. No lo olvidaré jamás. El rostro de este hombre, con haberlo visto solamente una vez, me quedará grabado para toda la existencia.

A las mujeres nos han vacunado, sin delicadeza alguna, en la vía pública, ante la ansiosa mirada de cincuenta marineros del buque de guerra «Cyclone», anclado frente a los almacenes. Para que nadie pudiera evitarlo, desalojaron las cuadras, haciendo entrar a las personas ya vacunadas. Los marineros miraban con anteojos para no perder detalle. Las ancianas se destapaban los nobles y arrugados brazos, murmurando con sus vocecitas viejas, preñadas del dolor y la alegría de muchos años. Allí estaban, también por seguir el destino de sus hijos y sus nietos: encorvadas, temblorosas, llorando por los hijos muertos, suspirando por los hijos vivos. Las jóvenes descubrían sus hombros nerviosos y tersos o los muslos fuertes y redondos. La aguja se clavaba con furia en la carne española. Fui la última.

He reposado un poco sobre la paja. A mi lado, un joven enfermo, tirita de frío. Le doy una de mis mantas. Le arranco una sonrisa y eso hace también sonreír a mi corazón. ¡Es tan bello una sonrisa, cuando nadie ríe!....

Muchas mujeres deciden regresar a España. ¿Para qué seguir adelante? Frente a los astilleros hay una oficina de inscripción. Una señora catalana, maestra, me dice:

—Me voy para allá —y señaló los Pirineos— donde todavía podré luchar; aquí sólo vendría a morir.

Abandonadas las mujeres en las rutas de Francia, pierden la confianza y suspiran por el hogar perdido. Yo me pregunto: ¿es cierto que hemos dejado la guerra atrás y estamos en un país de paz garantizada?

Dos figuras actúan de intérpretes: una señora anciana, muy encopetada, con palabra persuasiva y que parece agente de Franco; un joven indefinido, más o menos demócrata. La primera se acerca a nuestro grupo, y nos dice:

—¿A dónde van ustedes solas? Son muy jóvenes para sufrir. Vuelvan a España, a la ternura de sus padres. Usted ¿por qué salió?

—Señora —le respondí— salí por no tener que enfrentarme con los asesinos de mi hermano, por no ser otra víctima entre sus manos. Voy con los míos.

—Por mi parte —contestó Esperanza— los desprecio. No podría jamás convivir con ellos. Resistiré a todas las penalidades aunque duren años y ni amenazas, vejaciones y la horrible vida del campo de concentración, bastará para hacerme volver allá.

—Yo soy —intervino Encarnación— la que acaso vuelva pronto. No tengo ideas políticas, he trabajado siempre con uno u otro régimen y entré en Francia con poca voluntad; por eso resistiré poco.

La miramos a los ojos y comprendimos que no era nada: una pobre campesina riojana, ignorante, egoísta, e incapaz de dar un solo paso sin que la empujaran. Por eso se unió a nosotras.

El joven me dijo que esta misma noche parte una expedición para Nîmes. Iremos en ella. Trasladamos a la calle todas nuestras maletas y una niña dice a su madre, señalándome:

—Es una artista…

Sonrió, indulgente. ¿Una artista en una cuadra?

Cargamos con nuestro equipaje hasta un vagón lejano. Es la única ocasión propicia para fugarse, pero ¿y el dinero? No nos queda otro camino que éste o retornar al almacén. Sin vacilar, elegimos el vagón y en él nos sentamos a esperar la marcha. Cuando el tren empieza a rodar sobre los raíles, cierro las ventanillas y suspiro, rendida.

—¿A dónde vamos ahora?

«Café de París»

10 de febrero

Toda una noche ha durado el viaje. Primero corría el tren hacia el Norte, luego dobló hacia el Este. La gente discutía.

—A lo mejor nos llevan a París —decía uno.

—No, hombre, hubiera seguido hacia el Norte. Mejor será a Marsella.

—¿Y si nos llevaran a España? —preguntó un viejo campesino.

No, el tren no lleva esa dirección —objeté yo. Creo en lo que dijo aquel compañero, parece que nos dirijimos a Marsella.

El tren paraba en muchas estaciones y miembros de organizaciones sindicales, enfermeras y boy-scouts, nos obsequiaban con café con leche, chocolate y pan. Temiendo jornadas difíciles, como las pasadas, comimos lo necesario y guardamos lo sobrante, en previsión.

—Gato escaldado en agua fría pela... —murmuró Encarna.

En una estación provinciana, llamada Alés, varios señores hicieron descender a las familias numerosas. Abriendo la portezuela nos preguntó cuántas éramos.

—Tres mujeres —le respondimos.

—Bueno, pues bajen también.

Nos llevaron a otro autocar, donde volvieron a ofrecernos un espléndido desayuno.

—Por mucho pan nunca es mal año —volvió a murmurar la campesina.

Abandonamos Alés y entramos ya en plena campiña, entre inmensas montañas, cubiertas de olivos. Comprendí que estábamos muy lejos de Marsella y que seríamos refugiados en cualquier pueblecillo. Unas andaluzas lloraban, desconsoladas.

¿A dónde nos llevan, a dónde nos llevan?... —repetían.

—Si he de estar por aquí mucho tiempo acabaré suicidándome

—dijo, serena, y con firmeza, una madrileña, joven y gruesa, que llevaba un niño sentado sobre sus rodillas.

Doce, trece, catorce kilómetros, y al fin, la llegada.

Éste es un villorrio que llaman Les Mages. Estamos en los lindes de la Provenza, la bella tierra que cantara Federico Mistral. En derredor todo es bastante mísero: las casas oscuras, como aquellas que soñábamos blanquear por dentro y por fuera. El cielo opaco, el viento frío. Un señor grueso y colorado como un camarón, que nos presentan como el alcalde del pueblo, nos contempla, en unión del alguacil, un viejo encorvado, de mirada esquiva y del secretario del Ayuntamiento, otro viejo, tan antipático como el anterior. Tienen ya preparados unos jergones de paja y una comida en un lugar denominado «Café de París».

En medio de la plazuela existe un pequeño obelisco en memoria de los muertos en la guerra 1914-1918. Leo los nombres de los muertos y recojo un papel. Es una página de *Robin Hood*. Precisamente el capítulo XXVII que comienza con la «Profecía del Hambre».

Estoy sola, sin protección, en un pueblo triste. Me he abrazado a mí misma y he llorado largo rato, con el llanto amargo de quien ha perdido la alegría de ver, de andar, de vivir, en una palabra.

Comemos en el «Café de París», pequeño local que dirigen dos *madames* viejas, suegra y nuera, estrafalariamente vestidas y oliendo a anís. Hay muchos calendarios chillones y cuelga del techo un ramo de mimosas secas. La más joven de las dueñas, que llaman Mary, es denominada por las catalanas «la Moños», en recuerdo de la popular loca que durante treinta años paseó su pelo, lleno de flores y de lazos, por las avenidas barcelonesas. El instinto descubre pronto quiénes van a ser nuestros amigos y nuestros enemigos. Por eso se sonríe a Mary, al alcalde coloradote, al viejo provenzal y se pone hosco el ceño al alguacil, a quien denomino «Napoleón», y a las viejas que tras de las cortinillas almidonadas, husmean el paso de las nuevas habitantes de Les Mages.

Ninguna mujer se acerca a nosotras, exceptuando varias españolas, residentes en Francia desde hace muchos años, sus hijos y algunas niñas traviesas. Dos italianos se ofrecen para solucionarnos los primeros inconvenientes y deseos. Nos traen papel y sellos y recogen los nombres de todas las refugiadas. Uno de los italianos, apellidado Tobanelli, campesino adinerado, con una gran extensión de terreno, acoge a un muchacho que, ignoro de qué forma, se ha unido a nuestro grupo, haciéndose pasar por más joven de lo que es. El alcalde, por medio de un intérprete, nos comunica que nos dará casas deshabitadas para vivienda. Las andaluzas se reunen en una, una enorme familia aragonesa en otra, los madrileños son destinados a un cuarto en que las vigas están a la altura de la cabeza, y así se van repartiendo todas. Nosotras quedamos incluidas, con un grupo, en la «Maison du Peuple».

Es un local amplio y limpio, donde los mineros hacían sus asambleas. En la pared hay todavía un gran affiche de propaganda pro España, con una gran cabeza de mujer con un niño en brazos. Extendimos los jergones de paja por el suelo. Con las maletas se hacen armarios y tocadores.

«Maison du Peuple»

16 de febrero

En *Le Petit Provençal,* periódico marsellés, ha sido publicado, por el alcalde, un llamamiento a nuestro favor. El viejo señor Silhol, ex combatiente de la guerra, habla conmigo de Barcelona, recordando la montaña del Tibidado, desde donde la gran ciudad semeja un reverbero de luces. Me da el diario y recorto su modesta llamada, que dice así:

POUR LES RÉFUGIÉS ESPAGNOLS.[6]

—Pour venir en aide aux réfugiés, il n'est pas de jour oú, profitant de toutes les manifestations, cérémonies ou circonstances, des quêtes ou souscriptions ne soient faites au profit de ces malheureux.

Lorsque nous étions éloignés du spectacle de toutes ces miséres, je comprends très bien que le produit des généreux efforts de nos

---

6. PARA LOS REFUGIADOS ESPAÑOLES. Para ayudar a los refugiados no debe abandonarse un sólo día en que, aprovechando todas las manifestaciones, ceremonias o circunstancias diversas, dejen de hacerse recolectas o suscripciones en beneficio de estos infortunados.

Aunque nosotros estamos alejados del espectáculo de estas calamidades, comprendo muy bien que el producto de los generosos esfuerzos de nuestras poblaciones les haya llegado por los organismos nacionales o internacionales, pero la situación presente no es semejante. Si numerosos refugiados se encuentran dispersos sobre diversos puntos del territorio francés, es preciso reconocer que nosotros tenemos muchos entre las comunidades del Gard. Para no hablar sino de nuestra región, los hay en gran número en Saint-Jean-de Maruéjols, en Robiac, Gagniéres, Bésséges, Les Mages, etc., etc., y sin detractar el funcionamiento de entidades nacionales o internacionales creo que nuestras alcaldías tienen personalidad para recibir y repartir los socorros recogidos en el Gard o su región.

El medio más eficaz para que los mencionados socorros rindan el máximo de beneficio me parece reside en la supresión de aplazamientos e intermediarios. Un supremo esfuerzo se impone a nuestras poblaciones. Que cada uno cumpla su deber y nos envíe sus aportaciones. El Alcalde de Mages. Firmado: P. Silhol.

populations ait pu être dirigé sur des centres nationaux ou internationaux, mais aujourd'hui la situation n'est plus pareille. Si des réfugiés sont dispersés sur divers points du territoire français, il faut reconnaître que nous en avons dans beaucoup de comunes du Gard. Pour ne parler que de notre région, nous en avons de nombreaux a Saint-Jean-de-Maruéjols, a Robiac, Gagniéres, Bességes, Les Mages, etc., etc., et sans médire du fonctionament des œuvres nationales ou internationales, je crois que nos mairies seraient qualifiées pour recevoir et répartir les secours recueillis dans le Gard ou sa région.

Le moyen les plus efficace de faire rendre aux dits secours leur maximun de bienfaits me paraît résider dans la suppresion des délais et des intérmediaires. Un supréme effort s'impose a nos populations. Que chacun fasse son devoir et nous envoie des fonds. Le maire des Mages, signé: P. Silhol.

Como este pueblo se halla enclavado en una zona carbonífera, vienen a visitarnos comisiones de mineros, con una mezcla de espíritu curioso y ánimo de mitigar nuestros males. Los obreros de las minas de Saint-Jean-de-Valériscle, pueblecito situado a unos tres kilómetros de éste, hacen una colecta cuyo resultado es tres veces superior a la efectuada en Les Mages. Desde esta fecha se acuerda que hagamos vida individual, para lo cual nos entregan ocho francos diarios. Acordamos hacer una pequeña colectividad con los gastos divididos entre tres. Tenemos lo que llaman una «olla común».

En el pueblo, me denominan, ignoro por qué, la «doctourese». Quizá porque uso lentes negros que me dan una apariencia severa. Estas gentes juzgan por lo externo todas las cosas. En la casa, los niños pasan la noche llorando y yo soy devorada por la fiebre. La vacuna se infecta y mi pierna se convierte en un montón de pus. Esperanza, solícita, me cuida con cariño. Encarna anda de casa en casa, contando historias trágicas de España, que las francesas comprenden a medias.

Estando las mujeres reunidas se sabe mejor que por separado, cuáles son sus defectos, y qué virtudes poseen. En la «Maison du Peuple» hay quien deja todo el día los jergones revueltos —como si dijéramos la cama sin hacer— no se lavan ni la cara y esperan peinarse con la llegada de la Primavera. Otras se levantan temprano, arreglan la parte de suelo que les corresponde, con gran esmero, lavan, planchan, cuelgan cuadrecitos de las paredes y traen flores silvestres para adornar su cabecera. Así, en un local de quince metros de largo por diez de ancho, hay diferencias asombrosas. Como decía el viejo de Salomón: «la mujer sabia edifica su casa, la necia, con sus manos, la derriba».

De menudos detalles, surgen discusiones, peleas y sus lamentables consecuencias: la crítica del vecindario. Cuando las lenguas se desatan, los gritos españoles brincan a la calle y los oídos femeninos franceses se duplican en la escucha.

—Mira, la limpia, ¿te importa algo lo mío? Tú haz lo tuyo y no te metas en lo que no te importa.

—Es razonable y lógico que todas nos preocupemos de tener un local agradable y aseado para higiene propia y ejemplo de los demás. Si no fuera por las botellas de lejía que gasto, a todos nos comería cualquier epidemia.

—¡Bah!, cualquiera creería que has vivido siempre entre rasos.

—Mira, no quiero hablar más contigo. Lo que el cántaro tiene eso es lo que queda y tú eres un cántaro vacío, más hueco y sucio que ninguno.

Diálogos como éste se suceden día tras día. Unas quieren que entre el sol y las otras cierran ventanas y cortinas. Unas cuidan a los enfermos, las otras marchan todo el día al campo para no tener otra obligación que preguntar, al regreso.

—¿Qué, cómo estás?

La fiebre me tiene agitada todas las noches y el dolor me hace gritar. A veces quisiera tirarme de la cama al suelo, mas como ésta se halla a ras de tierra, doy golpes con el puño cerrado contra el mosaico. Cruje la paja, se me clava en la carne y las vendas ruedan por la pierna. Caigo, desesperada, sobre la almohada, no sé si loca o cuerda.

22 de febrero

Como es Carnaval, los muchachos se visten con muy mal gusto, de mujeres, sacando de las buhardillas los viejos sombreros de pluma y las toscas enaguas de encaje. Les falta la gracia de un Tartarín de Tarascón.

Llueve continuamente, sin descanso, día tras día. Las mujeres, con un afán, loco, buscamos por los campos de concentración a los familiares perdidos. Yo logro, a los pocos días, hallarlo a Él, en Argelès. Una campesina recibe la noticia de que su esposo ha muerto en un hospital de Perpignan. Negras ropas cubren su soledad.

Uno mira el paisaje y solamente ve olivos y perros tuertos.

Leemos periódicos franceses y por ellos nos enteramos de las riñas políticas entre Negrín y Azaña. Todas concordamos en afirmar que es un error la política de resistencia. ¿Resistencia cuando se venden los víveres y el material de guerra, recientemente comprado y que no tuvo tiempo de entrar en España? Seguir engañando es proseguir en el error.

Las cartas constituyen nuestra única ilusión. La llegada del cartero, un mocetón rubio y simpático, es una mezcla de afanes, gritos, risas y llantos. Mientras el tiempo pasa, nosotras comemos, dormimos y divagamos. ¿Es eso vida? Leo las fábulas de Iriarte y de pronto me pongo a llorar. Alguna me dice:

—Si ésta es la paz que tanto anhelábamos, prefiero la guerra o, por lo menos, la emoción de «la segunda línea». Nunca creí que llegaría a sentir la nostalgia de la guerra.

En la bancarrota de un mundo, en el puente que hay que cruzar para pasar de una etapa a otra, la moral se desgarra. La tensión nerviosa es tan grande que varias muchachas se han fugado, lanzándose a la montaña, como nuevos bandidos de leyenda. Los gendarmes, como perros de presa, las persiguen por todas partes. Teléfono y telégrafo llevan a todas las estaciones la noticia: refugiadas españolas viajan, sin papeles, por el Mediodía de Francia. Los caminos están cerrados y el espíritu sucumbe en el esfuerzo. Nuestro Yo pasa los días bailando tras los cristales mojados por la lluvia. «Ah, cette maudite pluie». Como el viejo mariscal Mac Mahon, en su visita a estos lugares, repetimos: «Qué de agua, qué de agua…»

Partir es la obsesión de todas. Partir a donde sea. Lejos de esta oscuridad moral que nos mata. Cada una, por su parte, extrae francos y francos del dinero de la comida, tan escaso, y manda cartas a todos los familiares y amigos que viven en el extranjero.

Los cuatro puntos cardinales lanzan el S.O.S. de las refugiadas españolas. A Orán, Suiza, a la Argentina, a Cuba, llegan misivas, con nuestros clamores, desgarrados en tinta. El idioma me parece demasiado limitado para explicar los sentimientos que nos invaden. Cuando los franceses después de escuchar las canciones de Tino Rossi, o de jugar una partida de ajedrez se van a dormir su sueño tranquilo, nuestras mentes se exaltan y salen, como los esqueletos de los camposantos, a bailar su danza nocturna. Dormidas o despiertas, soñamos con ese día feliz en que se diga adiós a todo —hasta a nuestro pasado— y un tren o un navío nos lleve lejos, a una tierra donde, libremente, podamos laborar, crear, ambicionar, gozar de la vida.

Escapar es un absurdo. No se llegaría más lejos de dos o tres estaciones, sin el correspondiente pasaporte. La orden de expulsión anda suelta por todas las prefecturas y los asilados políticos van de frontera en frontera, entrando y saliendo de Suiza y de Bélgica, huyendo del peligro. Papeles, papeles. Una nación ésta, donde la vida parece concentrarse en documentos. Algunos nos hablan del «Estado perfecto», de los «enemigos de Francia», de los «terroristas», y nosotras pensamos si solamente podremos esperar un regreso a España. Un sentimiento sanguíneo se rebela dentro de nosotras.

Los escapados de los campos de concentración viven escondidos en hoteles ciudadanos, en esos hoteles que parecen que van a abrirse por todas partes al grito de: ¡Policía, policía...!

El joven que recogió el italiano nos insinúa su huida. Y así es. Desaparece una noche. Al día siguiente el terrateniente informa a la Alcaldía de lo sucedido. Por este motivo, aparecen, por vez primera, en visita de inspección la pareja de gendarmes. Suben las escaleras aprisa como si temieran que, avisadas, fuéramos a esconder las armas. Hábilmente, un gendarme que entiende el español y lo habla un poco, nos interroga:

—¿Son anarquistas?

Nos miramos todas. Verdaderamente hay algunas entre nosotras. Yo misma, tengo unos libros de teoría anarquista, sobre los cuales me he sentado. Me adelanto y respondo:

—No, ¡qué barbaridad!, todas somos republicanas.

—«Rojas» —responde maliciosamente.

—De ninguna manera. No adoramos a San Carlos Marx, ni creemos en Stalin, todopoderoso —contesta Esperanza.

Ésta comete una imprudencia. Un gendarme, dicharachero y alegre, desenfunda su pistola, diciendo que es fabricada en España. Esperanza, experta en el manejo de armas, la toma, la descarga, la vuelve a cargar y riéndose se la devuelve al guardia. El otro, seriamente, se dirige a ella:

—Ah, sabe manejar armas. Habrá que vigilarla, es usted un elemento peligroso.

Procuramos distraer la atención del guardia. Le hablamos de paisajes, de música, de literatura. Al fin, se marchan escaleras abajo. Las mujeres del pueblo comentan:

—Han estado tres cuartos de hora arriba...

Es la primera insinuación malévola.

1º de marzo

Las simpáticas dueñas del «Café de París» suelen traerme, siempre que las visito, un banquito para mi pierna dolorida y un ladrillo caliente para mis pies helados. Empezamos, con el cese de las lluvias a salir a la calle y a alternar con el vecindario. Enfrente hay una casa grandiosa, donde vive un matrimonio viejo y solitario que lloran la muerte de la hija menor y la ausencia del hijo, veterinario en Argel. Al lado, unos portugueses nos hablan en su lengua, que creen entendemos perfectamente. La panadera recuerda el poco español que aprendió sirviendo a la esposa de un general, en el Marruecos español, hace quince años. Tiene un hijo estudiante, al que parece querer guardar del hechizo de las españolas.

El terrateniente italiano comienza a enamorar a la refugiada Encarnación, invitándola al cine, que es ambulante y viene cada jueves, instalándose en un cafetín. Es, se puede decir, nuestro único contacto con la civilización.

Como éste es un pobre caserío, sin inquietudes de ninguna especie, las lenguas se enredan en críticas y rumores. ¿Vendremos, nosotras, a revolver este cieno? Cuando pasamos por la carretera, ya en camino del lavadero o paseando, al atardecer, hombres y mujeres nos estudian, de arriba abajo. Encarna les saca la lengua muchas veces. Se muestra poco discreta. Yo temo que todo esto vaya creando un ambiente hostil hacia nosotras. Ella contesta:

—Que no me miren como un mono de feria. Yo andaré con quien quiera, porque el derecho a la amistad o al amor es universal...

Como nací en Cuba, muchos antiguos amigos, de ese país, me remiten pequeñas cantidades. De ese dinero, remito alguno a compañeros que se pudren en los campos de concentración. A un coman-

dante alemán, medio trastornado por la pérdida de sus seres queridos, le envío ayuda, a la enfermería del campo de Gurs. A Barcarés
remito ropa y comida. Al Ariége mando sellos y papel.

Por las tardes, después de comer, el rostro se me enciende en rojo
carmesí y la fiebre hace presa en mí. Desde el campo de concentración —presidios sueltos— de Argelès. Él me envía, a modo de respuesta, estos versos de García Lorca:

> Debajo de la hoja
> de la verbena,
> tengo mi amante malo,
> ¡Jesús, qué pena!

> Debajo de la hoja
> De la lechuga
> Tengo mi amante malo,
> Con calentura.

> Debajo de la hoja del perejil
> Tengo mi amante malo
> Y no puedo ir.

El mistral azota, continuamente, los cristales. En los campos, levanta, en trombas, la arena y ciega a los españoles.

Por las noches, una refugiada sevillana trenza un zapateado.
Resurge la vida. Sin embargo, las *madames*, refunfuñando, dicen que
eso es un escándalo inaudito y que la «Maison du Peuple» está siendo
deshonrada. Aquí las cosas más sencillas tienen apariencia de delito.

La muerte del poeta

3 de marzo

La falta de comunicación con el mundo hace que se desarrolle en mí una antigua costumbre infantil: la de recoger toda clase de papel que halle en la calle o en el monte. Por este motivo ando siempre con la cabeza baja, como si buscara algo que se me ha perdido. Hoy, en la escalera, el viento ha ido concentrando en un rincón, papeles e hierbas. Revolviéndolos he hallado un recorte de un periódico, donde se inserta la noticia de la muerte, en Colliure, de Antonio Machado, el gran poeta español. La noticia me ha conmovido tanto que he estado todo el día en la montaña, sentada bajo unos olivos. Siento la misma tristeza que cuando supe el suicidio de Alfonsina Storni en las aguas del Mar de la Plata.

La frialdad humana ha asesinado a este poeta, tras de lanzarlo con el peso de sus sesenta y cuatro años, a la fatiga material y moral del exilio, a la humillación del alambrado campo de refugiados. Durante muchos años, Machado, en varios institutos españoles enseñó a los estudiantes las bellezas poéticas de la lengua francesa, cantando las glorias literaraias de la dulce nación latina, la libre tierra donde todos los hombres del mundo encontraban asilo y libertad. Toda una generación conoció por sus labios, movidos por el mismo idioma con que hablaba Racine, sus ensayos sobre Molière, Villon y Corneille. Sus pensamientos vibraban en los muros austeros de Baeza y de Soria, con la misma ternura y pasión que arrastró al hombre a escribir las «Soledades», delicados poemas íntimos, su «Campos de Castilla», manojo de romero y hierbabunena, emoción grave de la llanura austera; «La Tierra de Alvargonzález», romance sobrio, ejemplo de la gran poesía castellana, y los «Cancioneros», joyel de sonidos, de música, de perfumes.

Y aquel que elogiara a la libre tierra de Francia, donde es posible sentir y crear con libertad, vio cómo sus pensamientos se hacían desengaño y dolor, cansancio y asco. Pocos años antes, la *Revue de Paris* decía de él:

A Antonio Machado le cae bien la divisa de André Chénier de verter en versos antiguos los pensamientos nuevos.

Maestro en los metros de la Poética clásica, no ignora el secreto del verso moderno, que quiere volatilizarse y huir de la medida, de la rima, de todas las sujeciones de la métrica. Los versos breves y fluidos, como los de la copla popular ofrecen una transacción al poeta que, sin insurrecciones contra la Poética, quiera visitar esas tierras nuevas donde las Musas no han establecido aún un gobierno estable.

Machado falleció yendo a esas «tierras nuevas» de la vida, que él, poeta de la latinidad, desconocía. Una tierra de palabras frías.

Habladas en una lengua
que, tal vez, sólo Machado
en aquel corro entendiera.

Tierra que olvidaba sus obligaciones, sus deberes, tierra indiferente, que lo recibía con desprecio, como a todos los españoles y que pagaba sus cantos con la frialdad y la tristeza de un campo de concentración. Tierra donde las musas se han vuelto brujas, donde escupen sobre los versos, llenos de «gotas de sangre jacobina», donde la comedia se ha hecho drama, la pasión indiferencia y la flauta cornetín.

Aquí vino a morir antonio Machado, sin honor y sin gloria; en la aldea fronteriza donde el viento no viene de cara, sino por la espalda. Era la senda de los españoles dignos que preferían los sinsabores del exilio a la vergüenza del fascismo. Y allí llegó el viejo poeta, gastado, moribundo, con la carga de sus años y de su desilusión. Era la etapa final en el último viaje. Como dijo en uno de sus versos:

Me encontrarán a bordo, ligero de equipaje,
casi desnudo, como los hijos de la mar...

Muchos «hijos de la mar» murieron con él, en idéntico lugar. Los naúfragos arribaron agotados a esa playa infame donde la Caridad cedía el puesto a la Muerte. Con los demás españoles llegó Antonio Machado a la tierra dulzona que había cantado. Murió entre brumas, mientras en Iberia, un poeta lloraba sangre sobre la guitarra vieja:

¡Patria de Hugo y de Molière,
qué vergüenza, qué vergüenza...!
Y luego dicen que Francia
Es de Europa la cabeza...

Bon per les filles

10 de marzo

Me dedico a observar la vida del villorrio. Los hombres trabajan toda la semana en el campo o en la mina, aunque especialmente en lo último. Salen muy temprano y regresan, llenos de carbón, pedaleando las bicicletas. Los franceses forman grupos aparte de los árabes que, con sus boinas negras y sus perfiles afilados, ponen una nota exótica en el ambiente. Durante toda la semana las mujeres son dueñas del pueblo. Parlotean en las esquinas y se suenan las narices con el delantal. El domingo, todos los ciudadanos se visten con el traje «nuevo». Las mujeres cambian el pañuelo diario por un sombrero pasado de moda que denuncia, aún más, su aspecto campesino. Los hombres juegan a los bolos en la plaza de correos y se toman diez o doce vasos de «pernod».

Hay dos iglesias, una católica y otra protestante y dos cementerios, uno para cada religión. Uno y otro tienen el mismo enterrador. Puede decirse que éste es uno de nuestros más sinceros amigos. Alegre, hablador, lleva unos mostachos picarescos que retuerce sobre su invariable sonrisa. Nos convida a visitar el cementerio protestante. Es mucho más sencillo que el católico y tiene muchos rosales. El afrancesado Juan Simón cava la tierra y abre tumbas, con un gesto de burla. Nosotros leemos los versos que tienen algunos nichos. En las viejas tumbas de los soldados muertos, contamos su edad. Todos jóvenes: diez y nueve, veinte años. El pensamiento entristecido vuela a los campos de Aragón, de Castilla, de Cataluña, llenos de muertos, sin cruces y sin flores.

* * *

12 de marzo

Las mujeres francesas arrecian en sus críticas a las refugiadas españolas. Vigilan la subida del cartero, de los mineros que nos visitan y hasta del alguacil. Éste es el único hombre que pretende elevarse, como autoridad, ante nosotras. El viejo y antipático «Napoleón» suele visitarnos por las mañanas cuando todavía estamos en el lecho. Con su desdentada boca, murmura, como una vieja gruñona:

—Las nueve, ¿y todavía durmiendo?

El alcalde no se ocupa en absoluto de las refugiadas; solamente cuando nos encuentra suele saludar amablemente, llevándose la mano al borde del sombrero. Vive en un pueblo cercano —San Ambrosio— donde hay cine dos veces a la semana y un parque con álamos. El domingo juega a los bolos, con los mineros, en mangas de camisa. Es un hombre simpático.

Las dueñas del café nos hablan de París, de la guerra y de las murmuraciones del pueblo. Dicen:

—Hacen mal. ¿No pueden ellas ser pronto refugiadas en España?

Cuando estamos en el café, vienen los jóvenes mineros a convidarnos a salir al cine o al baile. Sienten gran predilección por las españolas y no se esconden para manifiestarlo. Son francos, sanos y alegres. Por vez primera aceptamos salir del villorio.

Hemos ido a un baile, enclavado en una montaña llamada La Brusse, en la cuenca minera de Molière. Había gentes de todos los países de Europa: rumanos, lituanos, poloneses, rusos, alemanes, portugueses y españoles. Los jóvenes, de ambos sexos, danzaban en corro, al son de una tornadilla ucraniana.

La llegada de las españolas constituye la sensación del día. En estos pueblos cualquier elemento forastero se convierte en el punto de atracción y hacia él convergen todas las miradas y conversaciones. Un alemán pretende enseñarme a cantar una canción, que ya conozco en su idioma: «Las ocho golondrinas». Rueda, como una bola, la noticia de que las refugiadas se hallan en el baile. Jóvenes rostros de obreros, ávidos de figuras nuevas, asoman por todas partes. Dos rumanos y un polonés, que fueron voluntarios en la guerra de España, ganan nuestra preferencia. Con ellos bailamos una danza original para nosotros, aunque tiene cierta semejanza con ciertos juegos populares de Galicia. Al son de una tonadilla se salta en corro, en derredor de una muchacha que elige su galán; éste se arrodilla ante ella, le da tres besos y a su vez, elige su dama.

Los ex combatientes internacionales nos hablan, con pasión, de mil incidentes de la guerra: los combates de Teruel, los bombardeos de Barcelona, la lucha en Madrid y la retirada catalana. Ahora trabajan en las minas, como antes de su partida. Como nosotras, están sujetos a sentimientos nuevos, incomprensibles para todos aquellos que no han roto la paz de su vida y prosiguen año tras año, dando vueltas en derredor de su círculo nativo. Nosotros llevamos en la mente una hilera de muertos.

Nos despidieron con un «Salud, compañera».

Era el primer saludo antifascista en Francia.

18 de marzo

Al arrancar esta mañana la hoja del calendario, un grito sonó en mis oídos: ¡Vive la Commune!» Recordarlo es rendir un homenaje a los hombres, mujeres y niños, que prefirieron morir a rendirse a la esclavitud. Era una mañana como ésta, hace ya sesenta y siete años. Thiers, enano inteligente, manda a sus tropas ocupar el molino de la Galette y la torre de Solferino. Los cañones de la guardia nacional enmudecen. El gobierno triunfa desde las tres de la mañana a la siete, hora en que París se despierta, decidido a defenderse. Los batallones de federados circulan por las calles, pletóricos de gritos, de júbilo y de banderas. La Commune triunfa, y sus setenta y dos días de existencia son símbolo de la grandeza de su lucha.

La efeméride me recuerda nuestra revolución, que vencida como la Commune, inició otra etapa reaccionaria. El Muro de los Federados trae a mis ojos la visión de los muros del cementerio de Huesca, la plaza de toros de Badajoz y los innumerables fusilamientos de prisioneros. Una pena me atenaza: ver cómo Francia no permanece fiel a ese pasado glorioso y que el homenaje que rinde a esa gesta, no pasa de la florida y vana retórica de los discursos.

Como si fuera una grotesca burla, hoy celebran los jóvenes conscriptos su próxima incorporación a filas. Tienen veinte años y el país los necesitará muy pronto. Desde muy temprano se han lanzado a la calle armando una gran algarabía. Van engalanados con insignias

de latón y papel. Cruces, medallas, banderas tricolor y grabados irónicos que dicen: «Bueno para las muchachas» en vez del rutinario
«apto para el servicio».

Cuando regresamos de la montaña, a donde vamos a buscar leña
cada mañana —pues aún nos niegan el carbón, pese a que las minas
se hallan a tres kilómetros— un grupo de futuros soldados del Impe-
rio francés, nos han cercado en corro, mientras danzaban en torno,
cantando cuplés de Marsella. Veníamos por el camino, levantando

Cuando regresamos de la montaña, a donde vamos a buscar leña,
un corro de futuros soldados de Francia nos han cantado un cuplé de
Marsella. Ellos han seguido con su musiquilla patriotera y nosotras arrastramos la leña como si fuésemos caballos.

Las viejas, entre dientes, murmuran...

nubes de polvo y provocando ladridos de canes. Con la cuerda sobre nuestras cinturas, arrastrábamos un enorme haz de espléndida leña seca, tan seca, que se pueden derribar árboles enteros. Los soldados, fingían desfilar a los acordes de la «Marcha del soldado de plomo», cuando nos distinguieron. Nos han besado con los tres ósculos de ritual, ante la mirada de las viejas que, entre dientes, murmuraban. Ellos han seguido con su musiquilla patriotera y nosotras arrastramos la leña como si fuéramos caballos.

Los besos furtivos de los conscriptos nos han encendido la sangre. Pero aquí la primavera es lenta, tardía. Aún las montañas parecen blancos fantasmas invernales.

Sólo una cosa admiro de estos lugares: el paisaje. Mi única alegría consiste en marchar por caminillos, montaña arriba, abriéndome paso entre los zarzales que cubren de arañazos las piernas curtidas por el viento. Cuando, con dos enormes y juguetones perros de caza: «Medusa» y «Fernandel» voy a pasear, cien ojos me siguen por entre los olivos. Respiro, física y moralmente, cuando me saludan las cumbres de los montes. No puedo comprender cómo un pueblo tan pequeño e insignificante como éste, llegue a oprimirme tanto. Sus habitantes me parecen pulpos gigantescos, que alargan sus tentáculos para ahogarme. Y me ahogo en él, me asfixio.

En lo alto de una loma, no; allí el viento se desliza rápido por las colinas y los valles, cual un mensajero ideal de poesía y leyenda. Los ríos, estrechos y cantarines, descienden entre los pinares como víboras brillantes. Las viñas, con su promesa de racimos destacan entre la tierra negra y seca. La propia carretera, línea gris de cemento entre el primer verde de la primavera arrastra la mirada hacia el confín, hasta que se pierde tras de un recodo. Ella me atrae más que ninguna cosa, porque ella me conducirá, algún día, lejos de aquí, a una tierra donde no tenga necesidad de las cumbres para sentirme libre. El miserable pueblo, mirado desde arriba, parece un gallinero. Lejos de la jaula me siento más yo. Sólo la lluvia puede arrastrarme a abandonar estos paisajes tan llenos de fuerza natural, por el patio inmundo donde picotean las volátiles.

¿Vía Hendaya o vía Cerbère?

20 de marzo

Los mineros han aprendido a decir varias palabras en español y nos aletean con un «Si tú me quieres, yo te quiero», que alguien les ha enseñado a pronunciar. Cuando las refugiadas les responden que no los comprenden, entonces ellos guiñan los ojos con malicia y afirman:

—Cuando no se comprende, se toca.

¡Pobres mujeres, abandonadas en las rutas de Francia! Quisiera uno contarles muchas cosas a los seres queridos que vegetan en los campos de concentración. Decirles cómo anhelamos su cariño, su apoyo, su serenidad. Aquí parecemos ovejas perdidas. Un día es igual a otro día, una hora igual a otra hora. Si llueve pensamos en los campos, si hace viento también. Y si aún hubiera alguna esperanza... Pero nada, nada, sólo tristes noticias. cuando las refugiadas regresan de correos traen reflejado en la mirada, en el gesto, en el andar, toda su tragedia. El día que alguna reciba la noticia de salir no vendrá pausada y lenta por la calle abajo; saltará, llena de gozo, el rostro se le transformará, y sus gritos llenarán nuestros corazónes de sorpresa. Ahora, andamos todas de casa en casa, preguntando por los padres, los esposos y los novios, como si fueran de nuestra familia. Nos leemos las cartas unas a otras. La de hoy decía así:

Tu carta me ha hecho sonreír, hasta el extremo de que al pasar por delante de una barraca, me gritaron unos amigos: ¿Buenas noticias? Yo estoy contento cuando tú me escribes en ese tono alegre y no te dejas arrastrar por el pesimismo. Desecha las horas grises y piensa que ya llegará el día en que podremos vengarnos de todo lo que ahora sufrimos. Tú te has rebelado siempre contra los embates del Destino y no vas ahora a dejarte llevar por el pesimismo que acabaría con tu salud y sería para mí una pena intensa. Sobreponte a las crisis morales, arroja las muletas del espíritu y escríbeme siempre así: con optimismo.

Ellos y nosotras pretendemos, mutuamente, convencernos de que hemos de tomar los acontecimientos con resignada tranquilidad, mas, sin que el ánimo pueda vencerla, la desesperanza nos vence y lloramos lágrimas amargas sobre la tinta y el papel. Es curioso observar cómo ningún hombre, ya esté en Argelès, en Barcarés, en Saint Cyprien o en Agde, adopta tonos melancólicos cuando escribe a las mujeres de su familia. He aquí lo que dice uno:

Por tus cartas veo que tienes del campo una impresión muy desagradable. Y en verdad, da tan poco la sensación de cárcel, que muchas veces me imagino que estoy libre. Yo no paso frío ni hambre y si no me acercara a los límites del recinto, ni guardias vería. Yo no sueño con el sol de España, pues allá creo no podemos volver por muchas garantías que Franco otorgue. Sería como si los antifascistas de Italia y Alemania creyeran en las promesas de sus dictadores respectivos. Mientras no cambie la estructuración política debemos continuar nuestro éxodo hasta situarnos en un lugar donde podamos reorganizar nuestras vidas. Estoy en la jaula y sueño con el sol del mundo porque en la jaula y todo, no está prohibido «por orden del mando francés», soñar.

Y eso hacemos todas: soñar con el día de la partida.

* * *

21 de marzo

Cuando llega la noche, desvelada, cuento los murciélagos que decoran las paredes de la Casa del Pueblo. Son once. Piensa una en la casa amable, donde se creció, en el empapelado de las paredes y en la madre, afable y risueña, llena siempre de sobresaltos. Morena, como el trigo maduro, venía en las mañanas domingueras a traerme el desayuno al lecho, mientras yo le cantaba: «¡Ay, cuando será ese cuando que nos lleven a los dos el chocolate a la cama!»

Ella me escribe ahora unas cartas que no dicen nada. Todo es extraño: «Yo ya no soy yo, ni mi casa es ya mi casa». Pero quiero vivir y pienso en América toda la noche. Me prometen repatriarme a Cuba.

La Encargada de Negocios de Cuba, en París, me escribe, pero no resuelve nada. Ella redacta una «Vida de Jesús». Yo tomo notas y me vuelco en el «Diario de una refugiada», con toda el alma.

* * *

22 de marzo

La mañana nos ha saludado tan bella y risueña que Esperanza y yo nos hemos lanzado a la montaña, en busca de flores campestres. Entre la alfalfa crecen unas matas amarillas que tienen un olor agreste, fuerte y penetrante. Con ellas hacemos grandes y espléndidos ramos que ponen una nota de color y juventud en la soledad que nos rodea. Al regreso, la sangre se nos heló en las venas: un sargento de la Guardia Móvil, junto con el alguacil recorría las casas de las refugiadas españolas con intención de obligarnos a retornar a España.

Los espías fascistas realizan el trabajo, en colaboración con las autoridades francesas. Ellos se inhiben de la responsabilidad, man-

Un sargento, colorado y mandón, pistola en mano, ha venido a amenazarnos: «¿Vía Hendaya o vía Cerbère...?».

dando a los guardias y en este caso a un sargento, colorado y mandón que, pistola en mano y con los nervios tremantes por las negativas, grita autoritario:

—¿Vía Hendaya o vía Cerbère?

De nada han valido nuestros razonamientos: la ausencia de los familiares, el peligro a las represalias y el deseo personal de no querer convivir con los que fueron causa directa de la muerte de los seres queridos, así como la enorme diferencia ideológica que nos separará por siempre. El sargento se exasperó y clavó el cañón de la pistola en el pecho de una señora madrileña que llorosa y asustada, pronunció, como un quejido:

—Vía Hendaya.

Casi todas las refugiadas cayeron en el ardid policíaco y con menos corazón que una pulga, dieron sus nombres y el lugar a donde deseaban regresar. Esperanza y yo fuimos las únicas que nos aferramos a la negativa rotunda. Dije que todo eso eran maniobras locales y el sargento me tiró a los ojos la comunicación que venía encabezada por un «Orden del Ministerio del Interior». Marchó sudoroso y agitado, diciendo barbaridades de las españolas.

Tan pronto la impresión temerosa ha pasado, cartas y telegramas a los campos de concentración han invadido la oficina de correos. Hablamos todas a la vez, ante el asombro del cartero. Recurriremos a todo antes de marchar y en nuestra mente danza el incentivo de la huida. Cuento mis francos y arreglo mis maletas. Esperanza cree mejor esperar unos días, acaso no pase todo de ser una vulgar coacción.

Sin embargo, ultimamos detalles. Si aparecieran enseguida con la orden de repatriamiento, nos tiraremos al suelo, gritaremos, saltaremos a los tejados y fingiremos querer suicidarnos. Si tardan, estableceremos una vigía cerca de la alcaldía y a la primera alerta nos lanzaremos a la montaña. Si caemos en manos de la gendarmería, en cualquier estación, pediremos nos trasladen al campo de concentración.

Tenemos ya tomada la decisión de no aceptar el repatriamiento, por ideas y sentimientos, y será muy difícil que puedan hacerlo por la fuerza, a menos que seamos esposadas. Y eso no llegarán a efectuarlo por temor a quedar conceptuados igual a los fascistas. Mientras, esperamos...

1º de abril

El nerviosismo y el terror que se sucedió a la orden de repatriamiento obligatorio, engendró en mí una violenta fiebre, que me ha retenido sobre el lecho de paja más de una semana. En el fondo, me alegré: así no tendría que recurrir a extremos violentos.

Telegramas y conversaciones telefónicas han dado algo de animación a la vida de las refugiadas. Palabras y palabras se han sucedido, unas tras otras:

«Niégate: no hay orden ministerial.»
«No. Pide el traslado al campo.»
«Mandamos quejas al Ministerio del Interior.»

Afortunadamente nadie ha aparecido. Lo cual denuncia, una vez más, que estos actos de coacción obedecen a ideas y partidarismos locales. Aparte de la inquietud consiguiente, ninguna refugiada de Les Mages ha sufrido mayores males. En cambio, dos muchachas de Bessèges, pueblo cercano, han huido, amparándose en la oscuridad de la noche, temerosas de que la orden fuera inmediata. Llegaron a adquirir dos billetes para el tren, pero antes de que partieran unas manos de policía secreta se posaron sobre sus hombros temblorosos. Regresaron al pueblo, rabiosas, altivas, contestando duras a las burlas de las mujeres del pueblo y llorando, por su fracaso, ante las compañeras de exilio. Yo preferiría la cárcel a un regreso, el calabozo a tener que escuchar las risitas entre dientes.

El famoso derecho francés de «una tercera frontera» se convierte en papel mojado. No hay más alternativas: o se consiente en el regreso al país franquista, o se soportan aquí todos los sinsabores.

De España nos escriben: «Si te contara historias serían del estilo de las de Edgar Allan Poe». Eso es ya suficiente.

Palabras al viento

2 de abril

En unión de varios jóvenes escritores y dibujantes, que se hallan en el campo de Barcarès, lanzamos un Manifiesto a la intelectualidad francesa. En verdad, más que el grito rebelde del artista injustamente olvidado, es una especie de truco elegante para lograr cierta atención sobre nosotros y resolver los problemas de vida. Naturalmente que dadas las condiciones morales y materiales en que todos nos hallamos, constituye un símbolo de vitalidad, un afán de resurgir del abismo en que estamos sumidos. Lo peor de todo es que para ello, ha habido necesidad de recurrir al halago de los intelectuales franceses, responsables directos de que exista esta mentalidad absurda que nos condena como asesinos. Ellos se han portado, con relación a los intelectuales españoles, de la misma manera que estas cretinas del pueblo con nosotras. Sus reacciones han sido exactamente las mismas. Esta hipocresía solamente puede ser disculpable en un caso como el nuestro. Y aún así, en el fondo de nuestras conciencias, sabemos que obramos por motivos personales, y sentimos un poco de repugnancia.

El texto se envía a diversas publicaciones parisinas y locales. Dice así:

Los intelectuales españoles que se encuentran en el exilio lanzan a los intelectuales y pueblo francés, la sugerencia de un movimiento de «Manifestación Cultural» en pro del progreso y de las fuerzas vivas que propulsan la evolución humana.

Únicamente pedimos lo necesario para manifestarnos como tales y dar réplica adecuada a conceptos involuntariamente erróneos ante la presencia que ofrece nuestro aspecto de hombres de campos de concentración.

La solidaridad de Francia ha constituido, entre otros Comités de ayuda, el integrado por la «élite» de la intelectualidad francesa, en beneficio de sus afines españoles en espíritu y en intelecto. Identificados con estos lazos que nos unen universalmente con todos los valores reconocidos del mundo, y como justificación ante la opinión pública de la ayuda que generosamente nos ofrecen los intelectuales franceses queremos demostrar que en los campos de concentración quedan conciencias útiles, dignas de ser aprovechadas para la colectividad humana, en un afán superativo.

Para esto pedimos la ayuda moral y material de nuestros compatriotas, la opinión de las personalidades extranjeras —con las cuales nos une la Cultura, sin fronteras— y organizaciones culturales, excluidas de toda tendencia política, puramente eclécticas.

Todo lo que representa, en Arte, la vanguardia vital de un pueblo, queda aquí, desconocida, por falta de apoyo material y de organización que encauce en forma productiva toda esta fuente imaginativa y creadora, ávida de manifestarse.

Valores nuevos, jóvenes de potencia maciza, tallados en la experiencia odiosa y brutal de la guerra; valores consagrados por una vida pesada de trabajos y triunfos, condenados, por dignos, a un nuevo comienzo, tanto más duro cuantos más son los años. Valores, en fin, que abarcan todas las manifestaciones artísticas que enaltecen a un país y marcan etapas gloriosas en la historia cultural de los pueblos, ofrecen este proyecto, elaborado en las más duras condiciones, lejos de nuestros estudios y bibliotecas, deseosos de las materias primas suficientes para exponer, pictóricamente, en plástica, en letra de molde, en cinema y teatro, el fruto inédito de un arte imaginado bajo la metralla y la muerte, por una juventud estrangulada en el camino del triunfo, ansiosa de recuperar el tiempo pasado en estertores de barbarie.

Comité de iniciativa: (firmado) Silvia Mistral, escritora; Francisco Carmona, pintor; Ártel, dibujante; José García, periodista y cineasta, Lara, escultor; Francisco Cuadra, compositor.

El Manifiesto se ha publicado en *L' Independant* de Perpignan. Tras él, hemos remitido el proyecto, cuyo texto es el siguiente:

Son múltiples las finalidades que el proyecto abarca en sí. La más inmediata a cubrir consiste en dar réplica a determinados sectores políticos que han hecho bandera de nuestra actual situación y que basándose en nuestro aspecto exterior, aseguran firmemente, hallarnos faltos de valores culturales y, aún, en ocasiones, de vestigios de civilización.

1º Concretamente: deseamos organizar una Exposición a la que concurrirán todos los intelectuales españoles en el exilio y que representaban, en España, un valor artístico, literario, etc. Es decir: pintura, literatura, escultura, dibujo, grabados, música, escenografía, «affiches» y todo lo susceptible a desarrollar en esta Exposición.

2º Publicación de una revista-catálogo ejemplar único de bibliógrafo y que bajo el título de «Éxodo» recoja aspectos de dicha exposición, crítica de arte, cinema, pedagogía, valorizados por trabajos de nuestros mejores poetas y reproducciones e ilustraciones de firmas acreditadas en pintura y dibujo.

3º Mientras dure la Exposición, en el local en que se efectúe la misma, se celebrarán conferencias, sesiones de cine español (films de la guerra), teatro de campaña, recitales poéticos, conciertos folklóricos, todo ello a cargo de nuestras personalidades.

4º Como lo único que se persigue es la exteriorización de los valores que encierran los campos de concentración, en su más amplia difusión, la cuestión administrativa será exclusivamente a cuenta del Comité francés organizador, centralizando el saldo final de la venta de originales y revista-catálogo.

He aquí, sucintamente expuesta, nuestra ambición actual, bajo el cielo francés que onerosamente nos da hospitalidad, y la respuesta, plasmada en hechos positivos, con que queremos agradecer las gestiones, que en beneficio nuestro, realizan los intelectuales de Francia.

Todos ciframos nuestras esperanzas en ese proyecto. Mientras, remitimos crónicas y dibujos a Norteamérica e Inglaterra. Mando fichas a todos los comités habidos y por haber, y suspiramos por ese primer barco que va a fletar el Servicio de Evacuación de Refugiados Españoles. Esta vez parece que va a ser serio. Tanto oír hablar, inútilmente, de viajes, nos habían quitado la ilusión de que podía ser ver-

113

dad. Esperanza, que es una muchacha poco culta y terca, como buena aragonesa, pero que tiene mucha experiencia y está dotada de una comprensión natural de las cosas, murmura:

—Lo que pasará es que habrá preferencias partidistas y nosotros nos quedaremos aquí para muestras.

¿Tendrá razón?

4 de abril

El Manifiesto ha dado un pequeño resultado: la presentación, en Barcarès, de un representante del Comité Británico de Ayuda a España. Prometió informar de nuestros deseos. Mas —según cuenta— la despedida fue tan fría que casi es mejor pensar, ya de antemano, en el fracaso. Me describen su vida y el ambiente del campo:

Frente a la cantina hay un hormigonero de gente que cambian plumas, relojes, botas, pantalones y billetes republicanos de ciertas series, por moneda francesa. Los oficiales que se habían arrancado los galones, para atenuar su situación en caso de caer prisioneros, los vuelven a comprar ahora, a altos precios, para hacer valer su jerarquía sobre los soldados. En realidad, tienen pequeñas mejoras. El viento prosigue, invariable, y a tal punto nos hemos acostumbrado a él que cuando entramos en una barraca, se pierde la gravitación y nos falta espacio. X... llega a tener tantos piojos que cuando no haya sitio en su cuerpo por donde correr, se pelearán entre sí y entonces —¡oh, entonces!— lo dejarán tranquilo.

Hoy he tenido una carta de París. Hago esfuerzos por imaginarme cómo será una ciudad con sus mil ruidos, sus luces brillando en la noche y la multitud en pugna con el tráfico automovilístico. En ella se me anuncia la formación del Comité de Ayuda y pro-repatriación de los ex combatientes cubanos en España. Por todas partes surgen esperanzas de salida, mas la verdad es que el tiempo pasa y de Les Mages nadie consigue partir.

Sigue lloviendo. Las refugiadas cosen, leen y escriben. Apoyada la frente contra los cristales, canta una andaluza tristes canciones de su región. La coreamos y ella alza los brazos en jarras y trenza un zapateado con sus pies desnudos. Luego, tras de reír escandalosamente, se echa a llorar, de bruces sobre la cama. A veces, hay un silencio, una calma como esa que precede a las tempestades. Algo se arremolina en el ambiente; saltan las palabras agudas como lenguas de serpientes y estalla el vendaval de la ira. Una, que está muy adelantada en su embarazo, se coge el vientre con las manos como si fuera a parir. Un jovenzuelo se rasca la oreja y comenta:

—Vamos, ya comienza la función.

Acaba una por marcharse, bajo la llovizna, pisoteando el barro de los caminos.

Dramas y subdramas

6 de abril

Ha cesado la lluvia y el viento ha retornado la placidez a los gestos y yo me siento, hoy, ungida de esperanza. Un estudiante me enseña a cantar en provenzal y traduzco al castellano «Magali», poema de Federico Mistral. Me extasío leyendo en el idioma del Mediodía francés. La riqueza y colorido de su léxico me parece superior a ninguna otra lengua. Hasta las estrofas que no entiendo me subyugan. Descubro que me gusta demasiado que el jovenzuelo me cante:

> *O Magali, se tu te fas*
> *Luno sereno*
> *Ie'u bello néblo me farai*
> *T'acatarai.*

Las refugiadas cosen o tejen bajo el pálido sol, que como dice el propio Mistral, «procrea el trabajo y la canción».

Por vez primera desde nuestra entrada en el refugio, viene un español a visitarnos. Es un pastor protestante, enviado de los Cuáqueros. Toma nota del número de españolas y de sus necesidades más perentorias, que son el calzado y la ropa interior. Parece lleno de buenos deseos. No sé cómo, nuestra conversación se transforma en polémica, dando vueltas en derredor de la bíblica parábola del sembrador. «La tierra siempre es buena —me dice—: hay que sembrar». Le niego sutilmente:

—Hay tierra seca, con piedras, con gusanos, con rastrojos. Hay tierra que devuelve bien por mal, donde uno siembra trigo y crece hierba inútil.

El viejo cuáquero halló una oportunidad para hacer una prédica y ante el enojo de las compañeras, contestó:

116

—Es fácil reconocer la buena tierra. Es buena siempre que la siembra se realice para conseguir algo que no sea un egoísmo o una vanidad. Una empresa digna siempre halla buen campo que le produzca resultados. Hay mil detalles para convencerle de que la tierra es buena y el resultado fructífero; además, aunque así no fuera, es mejor el fracaso actuando que no actuar por temor a él. Por pequeño que resulte, es mejor un callado y menudo éxito en la senda del deber, que un clamoroso y vácuo triunfo en el camino del error.

Las compañeras pusieron la misma cara que si estuvieran escuchando un sermón. Esperanza pataleó ligeramente en el suelo. Cuando se despidió, saltó:

—No quiero escucharlo más y no quiero nada de lo que pueda traer. Aceptarlo sería tener que doblegarse a escuchar sus palabras evangelistas. Veis: nadie hace nada por nada. Los comunistas nos lanzan una filípica marxista, capaz de hacernos adelgazar cuatro kilos; los católicos pretenden hacerte arrodillar ante la cruz que llevan prendida en el pecho o colgando de la cintura, este buen pastor viene ahora ofreciéndonos el oro y el moro, para que mañana asistamos a una reunión en su iglesia y vayamos a los entierros de todos los protestantes muertos en Les Mages. Que no y no.

—Me parece que exageras —le respondí— ningún trabajo nos cuesta adoptar una actitud respetuosa y consecuente y si calza a los niños le agradeceremos la atención como hombre y no como religioso. Somos así fieles a nuestras mútuas ideas. ¿Crees tú que nos va a «convertir» porque nos lea capítulos de la Biblia o nos recite el hermoso «Cantar de los Cantares»?

Ha quedado convencida a medias. Lo pensará. No se va a rebajar por unos zapatos o una camisa de dormir, piensa para su interior.

Y así ha pasado otro día.

8 de abril

Las españolas comentan con los franceses los hechos desarrollados últimamente contra el Gobierno Negrín. En mayoría condenan la dictadura comunista, aunque por carecer de detalles más amplios no se hacen tan apasionadas las críticas. Se preguntan:

—¿Cómo Negrín otorgó ascensos a los causantes de la derrota catalana? ¿A qué volvió Negrín a Madrid? ¿A salvar, bajo la bandera de la resistencia, a sus partidarios y los intereses que los unen? ¿Iba a terminar la guerra, evacuando a todos sus adictos y abandonando a todo el resto del pueblo español?

Se hacen mil conjeturas y no tenemos informes con qué basar la conversación. Pero, pese a eso, todas concordamos en afirmar que la resistencia era inútil y que ese movimiento anticomunista debió iniciarse ya hace mucho tiempo. Sólo tres personas son adictas a Negrín y a éstas se les respeta, ya que son las representantes de la «minoría», de la «oposición», en una palabra.

La tragedia ronda estos días en torno como un fantasma. La refugiada embarazada se ha caído por un terraplén abajo y grita, horriblemente, sintiendo desgarrarse sus entrañas. Vive en unión de las andaluzas, en un cuartucho a cuyo frente hay una parra seca. Todas piensan que abortará, mas los médicos la obligan a estarse quieta, pretendiendo salvar la criatura. Tiene unas ojeras profundas que rodean de un tinte violáceo su rostro pálido. El sudor le cae, en gotas enormes, por la frente, rodando hasta el pecho. Clava sus uñas en el colchón pajizo y clama que la maten. No sabemos qué hacer. Estamos horrorizadas… Y ¿si se muriera? ¿Cómo podríamos decírselo a su marido? Este espectáculo nos agarra a la vida con más fuerza. Es imposible que vengamos a morir aquí, solas y abandonadas, lejos de todo cariño.

Un poco más arriba, en otro cuartito, canta una aragonesa, viejas jotas de su mocedad. Pretendemos hacerla callar. ¿No tiene juicio para comprender que sus cantos se escuchan desde el lecho de la enferma? Los hijos, llorando, nos explican:

—Está loca, está loca…

Un nudo se me enrosca en la garganta y las piernas me flaquean. No es posible tanta desgracia. Adentro, la voz chillona de la loca prosigue su cantinela, ajena a los conflictos humanos. No pueden hacerla callar. Habla, canta, grita, lanza hurras y solamente el sueño, al rendirla, puede enmudecer su triste boca.

Su marido y su hijo mayor se hallan en un campo de concentración. Los otros hijos menores preven su cercana soledad materna y vagan como pajarillos sin nido.

La calle tranquila, casi muerta, que ha vivido sin milagros, toda su existencia sin más agitación que la caída pertinaz de la lluvia, parece encorvarse sobre la trágica algarabía. Las ventanas de las casas se abren lentamente y por ellas asoman las cabezas curiosas y sorprendidas de las mujeres. Las viejas, con sus cofias blancas de encaje, hacen la señal de la cruz. ¿Qué pueblo es éste que arrastra consigo tantos males? Las bocas, sin dientes, murmuran quejumbrosas:

—Hace veinte años que no había tanto escándalo...

Me entran ansias de gritar a mí también, de decirles que muy pronto ellas se volverán locas, que sentirán los obuses y las bombas, que verán su casa destruida y sus hijos muertos, que marcharán de pueblo en pueblo, sin apoyo, en busca de cobijo que nadie les brindará de buena gana, que sentirán hambre, frío y dolor. Que gritarán sin que nadie las escuche, que llorarán sin que nadie recoja sus lágrimas, que caerán y alguien las empujará con el pie para que rueden.

Pero ahora, todavía, pueden asomar los ojos tras los cristales, con gesto asombrado, y preguntarse unas a otras:

—¿Qué les pasa a las «rojas»?

—¿Qué tienen las españolas?

Tenemos dolor, mucho dolor, pero también tenemos rabia...

* * *

10 de abril

La necesidad de buscar personas más afines a nosotras nos lleva a visitar, muchas tardes, el cercano pueblo de Saint-Jean- de-Valériscle. La carretera rodea las altas montañas, muy pobladas de árboles y arbustos. Un río, que arrastra partículas de carbón de las minas, circunda un molino deshabitado a cuyos bordes croan infinidad de ranas. Sobre los montones de carbón, brillan todavía tizones encendidos. Los rosales del cementerio perfuman la carretera. Enfrente, una orquestina desgrana valses, tangos y javas. Los mineros nos miran con interés y afectuosidad y las mujeres muestran, también, su simpatía por nosotras. Es un pueblo más rico, agitado y de espíritu comprensivo. Cuando entramos en el dancing pueblerino alguien ordena a la orquesta que ejecute, en nuestro honor «Jardines de Andalucía».

Hacemos amistad con un obrero de las minas. Es alemán. Para mejor concretar: del Sarre. Tiene los ojos azules y una barba castaña.

No tiene amigos. Anda siempre solo, como nosotras, y lo consideran también un «refugiado». Creen que es un espía porque una tarde lo vieron tomar unas fotografías. Desde entonces los gendarme vigilan sus pasos y registran, cada mes, su cuarto de hotel. Los mineros nos recomiendan eludir su amistad y a media voz, nos susurran al oído:

—Es un espía.

No hacemos caso. ¡Han dicho tantas cosas de nosotros!

Dos jóvenes nos invitan a visitar, con sus motocicletas, los pueblos circundantes en donde habitan otros grupos de españolas refugiadas. Quisiéramos que nadie notara este paseo, mas las «motos» trepidan, hacen un ruido infernal y todo el pueblo se entera. ¡Maldita provincia!...

Es maravilloso correr sobre el asfalto a gran velocidad. Siento la emoción de la partida. Campos, casitas, riachuelos, árboles, todo desfila rápido como un «trailer» cinematográfico. En la cúspide: Rivières, un pueblecito feudal, con su histórico castillo, dominando en la altura. Preguntamos por las refugiadas. Una vieja casona, grande como una cárcel. Allí están ellas.

Viven cincuenta o sesenta, en comunidad, comiendo, como en los cuarteles, de una olla común. Hay un horario fijo para levantarse y otro para acostarse. Durante el día son libres, aunque les prohiben salir del pueblo más allá de un kilómetro. Tienen una especie de jefe, que manda y ordena por boca del alcalde. Hay muchos niños enfermos, llenos de granos y de sarna.

Vamos luego, descendiendo por un camino rural, hacia Saint-Jean-de-Maruéjols. Aquí viven de forma semejante, mandadas por el alcalde, un viejo con maneras de dictador, que pretende convertir a las españolas en muñecos de su voluntad. A diferencia de Les Mages, hay pocas mujeres de edad madura, son casi todas muchachas jóvenes y de gran belleza. Ojos azules, melenas rubias, cuerpos de gitanas, cabelleras platinadas. Un desborde de gracia española, de júbilo y de color, entre las paredes grises de la población.

Pasamos, al regreso, por Bessèges. Es una pequeña villa, rica, con gente bien vestida, animación industrial y cierta tendencia a los vicios característicos de las ciudades. Aquí las españolas están distribuidas por las casas y algunas trabajan en panaderías, cafés y tiendas. No tienen problemas agudos en lo material, pero se hallan ante conflictos íntimos muy importantes, nacidos de la convivencia con las familias francesas.

Vuelvo algo contenta, en realidad disfrutamos de muchas más ventajas que todas las de los alrededores.

Una cosa ha contribuido a mi alegría: admirar el valor y la resignación de las mujeres, que por ideal, cariño a sus deudos y dignidad moral, resisten todos los sufrimientos con un estoicismo admirable, esperando poder reunirse algún día con sus familiares. Las hay que todavía no han averiguado el paradero de sus hermanos, de su padre o de su compañero de vida, y sin embargo, dicen risueñas y convencidas:

—Él no pudo quedarse allá. Estoy segura de que lo encontraré...

Esa esperanza las mantiene erguidas.

Punto y seguido

11 de abril

Los cincuenta y seis francos semanales que nos otorgan para, estrechamente, subsistir, suelen terminarse antes del domingo. La Alcaldía posterga un día para otro los pagos y así no hay más recursos que comprar fiado, rapiñar de los huertos unas cuantas verduras y pedir envíos monetarios a familiares y amigos. Buenos Aires y La Habana responden a mis llamadas, y me veo dueña y señora de mil ochocientos francos. Sin embargo, esto no evita que por vez primera en la historia del villorrio aparezcan letreros en los planteles de ajos y cebollas, coles y lechugas que dicen: «No tocar».

Los agentes coaccionadores no descansan y ahora resurgen con una vieja táctica: incitarnos a la huida. Señores con gesto paternal nos ofrecen ir a trabajar (?) a Marsella, bien retribuidas y con papeles legales para residir en Francia. Una vieja política de folletín, que ya todas conocemos. Con frialdad les hacemos notar que sabemos sus planes y que no caeremos en coartadas de esa especie. Ellos —acaso policías secretas— esconden los ojos bajo el ala del sombrero y se marchan del pueblo, cohibidos y derrotados, en apariencia, ya que aparecen en cualquier parte bajo diversos tipos y proponiendo planes que conducen al mismo fin. En el café, en el baile, en el cine, bocas extrañas tienden su red de tentaciones: libertad, dinero, lujo. Marsella o París. El sistema burgués se apiada de las pobres mujeres españolas y ofrece su apoyo. Ayuda a base de la explotación y del vicio, manos tendidas para comerciar con la carne morena de las nuevas Cármenes. A veces me parece que todos estos embajadores de la cortesía enmascarada, vienen a iniciativa de las autoridades, funcionarios prostituidos como cualquier cobrador a comisión.

La repugnancia que nos dan estas cosas hace que cada vez sea más aguda el ansia de partir. Escribo al Comité Británico y éste me contesta que «siendo más angustiosa la situación de los hombres, no pueden dedicarse a las mujeres».

Vuelve a visitarnos el pastor evangelista, el cual nos informa de ciertas arbitrariedades administrativas de los dirigentes de la República y de sus fantásticos viajes aéreos o en lujosos trasatlánticos. ¡Y todo eso con el dinero del pueblo!...

13 de abril

La «Maison du Peuple» ha sido abandonada por dos familias. Respiramos, contentas. Trasladamos mesas y bancos, maletas y cortinas y formamos dormitorios y salón-biblioteca, todo en una pieza. Burbujea la espuma de jabón y huele a lejía y a flores del campo. Las escaleras son baldeadas por vez primera desde que se construyó el edificio. Las francesas nos miran, medio asustadas. ¡Si pudiéramos restregarles el alma con la escoba!... La panadera que habla español nos mira de reojo. No saluda a ninguna de nosotras. Descubrió que el hijo enseñaba a montar en bicicleta a Esperanza y eso le convirtió la mirada en un arterisco. Buen tema para escribir una comedia.

Por otra parte, el estudiante que me cantaba «Magali», finge sentir indiferencia durante el día, para lanzarse por la noche, cuando las sombras convierten los olivares en fantasmas en un don Juan nocturno. Las habladurías le atemorizan y vive aherrojado, sujeto a los convencionalismos pueblerinos. Cuando regresan las comadres de las iglesias, en la nocturnas festividades de Pascuas, se sume en la noche, como un encapuzado. Es uno de tantos jóvenes perdidos para la libertad y el amor. Aquí se llama Georges y es estudiante. Acaso, como el pícaro Arcipreste de Hita, piensa que «fablar con mujer en plaza es cosa muy descubierta, a veces mal perro atado tras mala puerta abierta»... Escucho, con el rumor del viento, sus silbidos, pero la puerta y mi corazón permanecen cerrados. Si él me habla como el arcipreste, yo le respondo como doña Endrina: «Estar sola con vos solo, esto yo non lo faría, non debe la mujer estar sola en tal compañía»...

La casa limpia no logra cambiar las almas. Así, ahora, basta una sola voz para que traiga la inquietud a las tres restantes. Somos cuatro. Tres mujeres solas y una madre con su hijo. Como si dijéramos: tres gallinas y una raposa. Las gallinas hemos descubierto que tenemos sarna. ¿Es eso una cosa rara? Largos caminos hemos recorrido, donde no había agua. Cuadras, camiones, gente extraña. Un mes hemos dormido Esperanza, Encarna y yo, en un lecho ajeno, dos a la cabeza y una a los pies. Esperanza tenía y nosotras no. Se nos ha contagiado. ¿Tiene ella la culpa? ¿No es ella más limpia que ninguna, no trae ella el jabón desinfectante y la crema de azufre, no calienta ella el agua y nos venda los brazos y las piernas? Encarna grita, acusa e insulta, con palabras de víbora:

—Tú has sido. Tú me la has pegado. Te denunciaré al médico. Haré que nos separen a todas.

Si lo hiciera, sería horrible. Se harían revisiones, nos pondrían en cuarentena como apestosos, la gente se apartaría de nuestro lado. Nos tratarían como a perros sarnosos. Esta mujer es mala.

Esperanza llora sobre la mesa, con gran sentimiento. Es de esas mujeres fuertes, bravas, dignas, que nunca derraman una lágrima pero que cuando lo hacen causan la misma impresión que el llanto de un hombre. De pronto, se desmaya, cae al suelo, apretando los dientes con fuerza. Nadie se mueve, solamente yo salto sobre ella, azotándole el rostro y metiendo un cuchillo entre sus dientes. Cuando vuelve en sí, tiene un gesto sorprendido y doloroso. Increpo a Encarna, pero ella sale diciendo:

—Me dan rabia las personas como tú. Sólo una cosa me consuela; ver que, aunque te hayas quemado las cejas, no te queda más remedio que tragarme y pasarlas en donde las paso yo.

Su maldad —acaso sólo su ignorancia— nos hace unirnos más a las tres. Tres gallinas contra una raposa.

18 de abril

Ha corrido la voz de que tenemos que presentarnos inmediatamente en la alcaldía. A cada orden se siente una ungida de temores, de sorpresas, y presentimientos de desgracias mayores. Las desavenencias entre las propias refugiadas desaparecen por un instante y los peligros comunes nos hacen ir en bloque, oponiendo la fuerza de nuestra unidad a las autoridades.

Frente al Juzgado hay unos automóviles lujosos, brillantes y majestuosos. En la sala, ornada con unos ridículos capiteles de imitación griega, hay varios señores que hablan correctamente el español y traen unas listas de nombres, muy detalladas: edad, estado, etc. Tienen el asentimiento del Subprefecto y recorren todo el Departamento, coaccionando a las españolas para que regresen a España. La continuación de los sufrimientos, el cansancio y la desilusión arrastra a muchas a aceptar la repatriación, soñando con volver a los paisajes donde fueron felices y en los cuales, acaso, no volverán a serlo.

Los franquistas, en primer lugar, nos saludan con un discurso patriótico, con unas frases nuevas completamente para nosotras:

España victoriosa y grande, salvada para la paz y el progreso, inicia su era de apogeo en todos los órdenes. La primera labor es la de la reconstrucción a la cual han de coadyuvar todos los ciudadanos. No merecería llamarse español, quien, en esta hora, no le ofrezca su trabajo, su voluntad y perseverancia. No será un buen patriota quien intente frustrar este gran resurgimiento de la patria. Vosotras, mujeres españolas, volveréis a vuestros hogares y en ellos os sentiréis felices, porque aunque halléis vuestras casas en ruinas sentiréis la alegría, la inmensa alegría de la paz, de la reconstrucción. Se os dan toda clase de facilidades y podéis dirigiros a donde os interesa u os plazca.

Todo el mundo enmudeció y nosotras nos miramos a los ojos. ¿Alegría de la casa destruida? ¿Voluntad para quien nos la destruyó? ¿Felices cuando ellos quedaban en los campos? ¿Dichosas en la casa sola, sin risas y sin luz, entre saludos a la patria y humillaciones a los militares? ¿De qué hablaba este hombre?

Desfilaron las españolas ante él. Una muchacha madrileña, refugiada en Cataluña desde los días de noviembre, dio sus datos personales. Se disculpó, entristecida:

—Quiero ver a mi madre.

Siguieron varias más, con destino a Galicia y Andalucía. Eran las que no habían hallado a sus deudos en los campos, las que sabían ya de su encarcelamiento en España, una viuda y nadie más. Nosotras permanecimos, sentadas, en la misma actitud, con frialdad.

—¿Nadie más? —preguntó el caballero franquista.

Mudas, dijimos que no, con la cabeza, y abandonamos el local.

125

¿Cómo pueden atreverse a hablarnos de esa manera? O son ciegos o nos juzgan tontas.

Servicio, sacrificio, hermandad. Ya sabemos, de sobra, qué significa esa trilogía. Juventud, juventud, claman. Juventud para triturarla en las ruedas de molino de su odio, de su crueldad, de su ignominia.

Estoicas regresamos, a la fría Casa del Pueblo. Solamente por la fuerza podríamos volver a España, a esa piel de toro que destrozó el fascismo.

22 de abril

Cuando el sol declina en el horizonte... llega el correo. El cobrador de un autocar tira el saco de la correspondencia sobre la acera. Lo rodeamos hasta que el cartero llega, lo carga al hombro y los traslada, sonriendo de nuestra ansia, hasta la oficina. Tras de las ventanillas oteamos los sobres.

—Si el sobre es azul, es para mí —piensa una.

—Si la letra es grande es de Él —murmura la otra.

Cuando viene a repartir las cartas, el cartero tiene un rostro feliz, como cuando se reparten juguetes a los niños pobres. Como es blanco y rubio, la sangre le enrojece el cutis. Le brillan los ojos. Cuando las ha dado todas, se queda, con las manos sobre la ventanilla, observando la impresión que nos produce. Este hombre goza de nuestra felicidad. Se rasgan los sobres y los ojos corren ávidos sobre las misivas. Antes que nadie haya hecho ningún comentario, una refugiada andaluza, da un chillido de loca alegría:

—Ya me puedo marchar, ya me puedo marchar —exclama, casi ahogada.

—Pero, ¿a dónde?

—A Orán, a Orán, con mi hermana, a Orán, con mi hermana.

Hasta que se calma de la emoción, no es capaz de coordinar una idea o un gesto.

Al fin, sonríe como siempre, enseñando dos dientes de oro, y va, con su anciana madre, en busca del alcalde. Tiene el dinero, la autorización de traslado; sólo le falta el permiso del Subprefecto.

Partirá mañana, al amanecer. Embarcará, en Marsella, en un buque que uno imagina blanco, limpio, encantador. De casa en casa, han ido las dos mujeres despidiéndose de sus compañeras de exilio. Son ya distintas a nosotras. Su reír es más amplio y su paso más seguro. Alguien murmura:

—¡Dos menos! ¡Cuando será el día que no quede ninguna!...

Tirar la piedra

29 de abril

La vida en este pueblo gira en torno a un círculo cerrado. En él, no hay otra cosa que sufrimiento. Muchas veces, saltamos ese círculo y buscamos, hallándola o no, cierta alegría que mitiga los pesares, arranca al alma la carcajada y brinda júbilo a nuestra juventud. La montaña, la velocidad de las motocicletas, el baile, los baños en el río y el cinematógrafo, nos hacen olvidar que somos refugiadas, para sentirnos estrictamente mujeres. Mujeres jóvenes, sanas, sinceras y joviales.

Y es inútil, hay que retornar al círculo, al redondel que simboliza el ambiente, la ley, la autoridad. Al fin, la envidia, el rencor, la bajeza humana ha hallado medio para cortar las ilusiones que resurgían, la vida que nuevamente comenzaba a florecer. Esto es el desenlace esperado. ¿A dónde podrían conducir las miradas represivas, las coacciones, las críticas y el agravio? Sólo a esto: la humillación. A querer abatir, de un golpe fuerte, las cabezas erguidas y las risas desafiantes. A pretender aniquilar la voluntad de sacrificio y el afán de superación.

Lo cierto es que somos prisioneras. Muy de mañana, subió las escaleras «Napoleón» clavando su bastón en cada escalón. Ni permiso para entrar, ni saludo mañanero. Lo miramos, barruntando una mala nueva. Con gesto pausado, sacó del bolsillo de su raído uniforme un papel que clavó en la pared, con dos tachuelas. Sin más explicación, cerró la puerta tras de sí, desapareciendo. Nos lanzamos a leerlo. Y así decía:

(Textual) Traducción de la letra de Sous-Prefet d'Alès al Alcalde des Mages.

Me an siñalado que las Españolas que habeis colocado a la Maison au People tienen mala conducta quitan el cantonamiento sin permiso y causan escándalo dentro del pueblo.

Esta situación no puede durar.

Usted querra bien.

1º Darme el nombre de esas mujeres, y serán cuidadas por la policía y la guardia civil.

2º Enterdir toda salida del campamiento después que el sol haya desaparecido.

3º Enterdir toda entrada dentro del local, que estan sin su autorisasion y sin motivo de servicio.

Mando orden a la Guardia Civil para acer révistas de dia y de noche dentro su pueblo.

Toda refugiada, encuentrada afuera del pueblo sin autorisación tendrá una multa y será considerada como extranjera en situacion irégular en Francia.

El Sous-Préfet.—

Extáticas, muchas, estuvimos por unos minutos. Parecía que la sangre se nos había helado en las venas. La madre apretó a su hijo contra su pecho y se lanzó escaleras abajo, al grito de: ¡Mentira! ¡Mentira!... Corrimos tras ella, saliendo del estupor que invadió las almas.

—Por Dios, no des espectáculos que agraven nuestra situación. ¿No lo comprendes? Eso desearían todos: ver lanzado a la calle nuestro dolor. Domínate y que nadie conozca en los ojos que estamos llorando.

Lloramos mucho todas. Hasta que las fuentes de la pena se secaron. Hasta que el pensamiento superó la debilidad moral. Hasta que la honradez venció a la calumnia. ¿Cuál era nuestra mala conducta? ¿En qué consistían nuestros escándalos? Salíamos muchas veces, mas ¿no retornábamos siempre? Ah, la carta dice. «Nos han señalado». ¿Quiénes son esos? ¿Los que han visto cantar y bailar a las españolas? ¿Los que han escuchado sus palabras antifascistas y sentido su desprecio por la guerra y por el fascismo?

Nada sabemos, si no es que muy pronto aparecerá de nuevo la gendarmería, levantando la curiosidad del poblacho y llenándonos de sospechas. Me enfurece que la autoridad —en este caso el Sub-Prefecto— crea las insidias de una delación y sin informaciones de ninguna especie, nos manche con ese baldón. La pluma salta a mis manos y escribo una carta. La leo en alta voz, firman todas y corro hacia el buzón de correos. Respiro: es que como si mi dignidad ondeara como una bandera.

Así contesté a este señor:

M. Sub-Prefecto de Alès

Señor:

Heridas por lo que consideramos una calumnia y falta de consideración, nos dirigimos a usted, con motivo de su comunicación al alcalde de Les Mages, para protestar de que se nos acuse, erróneamente, de hechos no cometidos.

Obedeciendo todo a una falsa denuncia, a intrigas locales y mezquinos sentimientos, aceptamos que usted y sus subalternos realicen todas las revistas que considere necesarias, tanto de día como de noche, para que comprueben que es una vil calumnia y un *acto de humillación* a quienes sabemos respetar la hospitalidad francesa en los días difíciles que la guerra nos ha deparado y que poseemos el suficiente entendimiento para ser en Francia lo mismo que fuimos en España: *CIUDADANAS CONSCIENTES*.

Estamos a su disposición para cuantas informaciones desea hacer y para que usted pueda comprobar la falsedad de quienes, movidos por rencores absurdos, han pretendido humillarnos de tal forma.

Le presentan sus respetos.

(Aquí cuatro firmas)

* * *

1º de mayo

Como ya era de esperar, los gendarmes han venido. Y han escogido, para ello, un día como hoy: la Fiesta del Trabajo.

En Alès, a catorce kilómetros de distancia, se celebran mítines, manifestaciones y festivales. De todos los pueblos de la cuenca minera salen autos llenos de obreros que se dirigen a la pequeña ciudad, para participar en las fiestas. Por la tarde, en la Grand-Combe, pueblo rodeado de las minas carboníferas más ricas de los contornos, se inaugura una «Exposición de Arte y Comercio». Vienen a invitarnos, pero el acto de ayer nos tiene tan sobrecogidas, que no nos decidimos a ir. La temprana visita de la pareja de la Guardia Móvil me ha dado mucha serenidad. Empezaron por hablar de la festividad del día, preguntando como se celebraba antes en España e imaginando lo que será ahora. Prosiguieron, risueñamente, comentando la belleza de las primeras flores y terminaron por indagar, levemente, cuál era nuestra opinión con respecto al vecindario. Sin apenas dejarnos contestar, el más joven de ellos, replicó:

—Una gente de conciencia estrecha, que tienen la lengua muy larga, ¿no es así?

Afirmamos con la cabeza y las manos.

Sonrieron, sonreímos, y al marcharse nos dijeron, haciendo un gesto de despreocupación:

—No se entristezcan. Ya sabemos que todo es mentira. Mas, es la ley la que nos manda, ce la loi... No salgan fuera del pueblo y nada sucederá...

Sin embargo, pese a la Ley, hemos salido. ¿Quién resiste la voz del «cláxon» invitando a recorrer caminos, admirar paisajes y sentir la sensación de libertad? La Grand-Combe nos ha saludado con la negrura de las montañas. Un gran arco de triunfo da entrada a la exposición, denominada aparatosamente «de arte y comercio». Los muchos gendarmes no pueden descubrir si nosotras somos españolas, italianas o francesas, mas a mí me parece que su mirada nos conoce entre la multitud. Temo que se acerquen, pisando despacio y me digan imperantes:

—¿Refugiadas españolas?

La exposición, en verdad, es una feria. Puestos industriales, cafés, churros, carrusel, barcas, tobogán y música de organillo. En una esquina, un vidente árabe, adivina el porvenir por cinco francos.

El arte no se ve por ningún lado. Sólo unos argelinos exhiben bellísimos tapices y varios ladrillos, llenos de exótico encanto. Una cabalgata desfila por las estrechas calles. Carrozas simbólicas del temperamento característico de las diversas nacionalidades que pueblan las minas. Una lleva una gran bola del mundo, de cuyo centro sobresale una niña, vestida de blanco con el laurel de la paz. En derredor franceses, italianos, rumanos, árabes y rusos, con trajes típicos. El desfile es silencioso, tristón, ¿presiente el pueblo una cercana guerra?

131

Al regreso, unas mujeres nos han mirado, sorprendidas de nuestro desparpajo y audacia. Han fracasado.

5 de mayo

Dos cartas me anuncian que estoy incluida en las listas de embarque para el «Sinaia», que saldrá del puerto de Burdeos y en el número de cubanos repatriados que embarcarán en La Rochelle, con destino a la isla antillana. Vivo ya como si cada minuto fuera una despedida. Cuando marche, solamente añoraré el encanto maravillosos de los paisajes que entonan, ahora, su más bello canto de mayo.

En cada casa de refugiadas hay problemas. La pobre loca aragonesa pretende suicidarse, ingiriendo salfumán. No queda más recurso que trasladarla a un manicomio. La llevan al de Nîmes. Marcha cantando una jota, grita luego, y llora. Los hijos muerden la tierra con rabia. Quedan solos, sin más consuelo que las cartas del padre.

Al pueblo, llega un español, fugado del campo infernal de Collioure. Vaga de día por las montañas y por la noche desciende a la carretera. Cansado, mal vestido y peor alimentado, pasa por Les Mages. Habla de ese lugar de castigo como de algo incomprensible para el raciocinio humano. Separación absoluta incomunicación, insultos, palos, huelgas de hambre —en protesta del trato tan inhumano— y toda clase de penalidades. Una pequeña Guayana instalada en los Pirineos Orientales. Pudo escapar, fingiéndose enfermo y lograr el traslado al Hospital, desde donde huyó, lanzándose al monte. De eso hace ya más de quince días. Quiere llegar a Marsella y elude estaciones y la vigilancia diurna. Le orientamos en la ruta más fácil y rápida. El perseguido, que no ha cometido más crimen que amar el trabajo y la libertad, se hunde en la noche, huyendo del ensañamiento humano.

Yo tengo mucha fiebre y casi no puedo levantarme.

15 de mayo

La fiebre me ahoga y en mis sienes golpean los martillos del insomnio. Cuando logro dormir, ya cuando el sol se rasga, en tenues rayos, sobre las altas montañas provenzales, solamente desfilan ante mí crímenes, persecuciones y hambre. Sueño que camino descalza, que las negras capas de la Guardia Civil me envuelven en sus pliegues y que corro, huyendo, hasta caer doblegada, sobre las piernas, como un caballo cansado. Siempre el mismo espectro.

Parte el «Sinaia» y embarcan los cubanos. Mueren mis ilusiones de viaje. Pero, ¿y si llegan a avisarme? Mi debilidad es muy grande y apenas doy cuatro pasos cuando ya pierdo el sentido. Esperanza me cuida solícita, yendo y viniendo con una serie de remedios y pasando más angustias que yo. Tan pronto hierve agua, como aparece con un pedazo de hielo. Ella que siempre ríe tanto, permanece melancólica, mirándome con suavidad. Piensa como yo: si mandan la orden de partida, ¿cómo va a cargar con las maletas? Haría un esfuerzo grande, supremo, llegaría al barco aunque fuese arrastrándose. Hemos ya pasado tantas fatigas juntas, que sabe cómo reaccionaría. La guerra y el éxodo barrieron muchas cosas, sólo la humana camaradería puede unirnos en esta nueva vida, tan extraña para todas, extraña porque se interponen los sentimientos, los hábitos y las restricciones de la paz. Antes, el peligro común y el desamparo que a todas llegaba por igual, nos convertía en un pequeño mundo, dispuesto a combatir al otro: al enemigo. Ahora, cada cual procura resolver sus problemas y partir. Quien queda, se vuelve hosco, tristón y huraño.

Afuera, caen gotas de los árboles y el viento arrecia. Mas, pronto, cesará y el sol brillará sobre las hojas húmedas.

1° de junio

Me levanto ya. Ando poco y estoy sujeta a un régimen alimenticio especial. Aunque el sol es ya más fuerte y reseca la tierra, cubriendo de polvo los caminos, mi cuerpo débil tirita bajo el abrigo. «Fernandel» y «Medusa» suben, a veces, hasta la Casa del Pueblo, y saltan, contentos, en mi redor. Algún minero me trae frutas y un gendarme me obsequia con una polvera plateada que halló en la carretera. Un viejecito campesino sintoniza a Radio Madrid para que podamos reírnos un poco con las contradicciones fascistas. ¡Ah, ese ridículo Desfile de la Victoria!...

Él, desde Argelès, me escribe: «Pronto embarcaremos. Cuídate y confía. Saldrá próximamente un barco y sé que dentro de unos días seremos avisados».

No quiero ilusionarme demasiado.

Adiós a la Provenza

6 de junio

Ha llegado el día. Muy de mañana, me avisaron que fuera a las oficinas de correos. Corrí, inquieta, por el sendero. Las compañeras se levantaron de sus lechos, interesadas. ¿Qué sería?

El cartero me entrega un telegrama. Se me envían trescientos francos «para trasladarme» a Burdeos, donde embarcaré en el «Ipanema». Vuelo en dirección a la Alcaldía. El viejo secretario tiene en las manos una nota del Sub-Prefecto, en la que ordena se me otorguen toda clase de facilidades para mi traslado a Burdeos. «Debe llegar a Alès a las cuatro de la tarde, dirigirse a la Comisaría y en unión de otras españolas de pueblos circundantes, tomará el tren de las seis y cuarto».

Mi alegría es tan grande que la debilidad de que estaba poseída se transforma en fuerza. De casa en casa, y corriendo por medio de la callejuela, anuncio mi partida:

—¡Me voy a México, me voy a México!...

Las españolas me miran estupefactas. Los franceses, orgullosos y soberbios, murmuran entre dientes:

—*Mexique... Mexique... le pays sauvage.*

—Eso, el país salvaje, es el que da una lección de humanidad.

En el fondo se sienten lastimados en su sensibilidad. Ponen mala cara y aseguran que, con el tiempo, en ningún lugar del mundo estaría mejor que allí. Piensan que, todavía, América es un inmenso territorio con indios armados de flechas, y para hablar de ella adoptan el mismo tono que cuando nombran las colonias francesas. Al fin, acaban por despedirse, tendiendo su ruda mano de mineros o campesinos. Contenta y ufana preparo, agitadamente, mis maletas. Me despido de todas las refugiadas que sonríen, con esa sonrisa muerta de quienes saben que han de esperar. Abrazo a las dueñas del «Café de París», saludo al cartero y subo en el coche, junto con Esperanza, en dirección de la próxima estación. El chófer, muy amable, traslada mi equipaje al tren. Busco en los vagones si van otras españolas. No encuentro a ninguna. Rueda el ferrocarril sobre los raíles. Enfrente a nosotras viaja un soldado que va a Lyon. Debo de llevar reflejada en la cara mi alegría, pues me pregunta si marcho de Francia.

—Sí, a México.

Dice que no vaya tan lejos, además, México —habla despectivamente— es una nación «inferior». Le contesto, airada, con una soltura de lengua que hasta entonces nunca había tenido. Discutimos y le escupí, como final, una frase portuaria marsellesa.

En la estación ya me esperaban dos gendarmes, en compañía de la secretaria del Sub-Prefecto, una señorita con una cara semejante a la del emperador Hiroito. Buscan a las españolas que debían presentarse a la misma hora, para su traslado a Burdeos. No aparecen. Telefonean a Rivières, indagando el motivo de esa tardanza y contestan que las refugiadas se habían negado a marchar, considerando que «México estaba muy lejos». Esperanza se mordía los puños. ¡Si ella hubiera sabido eso!...

Me preguntan si tengo dinero para trasladarme a Burdeos. Contesto que no. Me dan un billete de indigente y los gendarmes me acompañan al tren. Los saludo con un irónico *au revoir* y abrazo a la compañera de refugio y desdichas, que llora amargamente. En el andén, un oficial me sonríe, como si pretendiera hacerme olvidar los agravios sufridos. Suena una campana y el tren abandona la estación de ladrillos rojizos. Al fin tras cuatro meses de encierro, voy nuevamente en busca del mar. Mi espíritu se aligera de la obsesión limitada de las montañas.

7 de junio

Es la una de la mañana. He estado cuatro horas en Nîmes, aguardando la salida de este tren. Dejé el equipaje consignado y estuve, mientras, recorriendo la ciudad. Lindas avenidas, un espléndido parque, con bellísimas estatuas y las parejas de enamorados, buscando, como en todos los países y latitudes, la oscuridad propicia. Cuando las calles se volvieron silenciosas y solitarias volví a la estación.

Un matrimonio español —gitanos parecían— me ayudaron a subir las maletas. Ahora duermen; ella con la cabeza apoyada en los hombros de él. Los viajeros suben y bajan, en diferentes estaciones. Comerciantes, soldados, vendedoras y militares. Hablan poco, generalmente del tiempo, del horario de trenes y de la situación internacional. Hasta la llegada a Sète nadie me pregunta nada, ni muestra deseos de entablar conversación. Si fuera en España ya habrían interrogado sobre mi origen, mi destino, edad, nacionalidad, ideas y mil detalles más. La luna riela sobre la costa marítima. La barcas bogan por las rías, lentamente. Unas redes se distinguen sobre la mortecina brillantez de la noche. Oigo hablar en español y me asomo a la ventanilla. Un grupo se despide de dos o tres personas; seguramente se dirigen, como yo, al puerto de embarque. Llantos, palabras de consuelo, promesas, y otra vez la campana agitando la máquina y los viajeros.

Entra en el compartimiento un hombre grueso, hablador y amigo de despertar a todos los durmientes. Cuando sabe que soy española, empieza a contar anécdotas de sus viajes por Andalucía y Levante. Habla de las naranjas, de las mujeres, del sol: color y ritmo de España. Relata ambientes de pueblos y ciudades, cuenta chistes llenos de sal ibérica y al final chasquea los dientes como si catara vino.

Paradas, estaciones, paisajes, rostros, en una sucesión cinematográfica. Pretendo dormir, pero la ansiedad no me deja. ¿Estará ya Él en Burdeos? ¿Qué aspecto tendrá tras cuatro meses en el campo de concentración? ¿Qué le diré? El cansancio me rinde...

8 de junio

He llegado a las siete y media. La avalancha humana ha descendido, rápida, en busca de las puertas de salida. Quedamos solamente los refugiados españoles. Agentes del S.E.R.E. nos informan de lo que hay que hacer. Quien tenga dinero puede ir a un hotel, quien no, puede trasladarse a un refugio, denominado «Hotel de los Emigrantes». Me recuerda una novela de Remarque en la que describe la tragedia de los refugiados políticos de diferentes países de Europa: alemanes, polacos, húngaros, austriacos e italianos, en un refugio checoeslovaco, denominado exactamente igual que éste. Yo me siento sobre la maleta y cuento mi dinero: tengo quinientos francos. Marcharé a un hotel y así tendré la libertad suficiente para venir a la estación a todas horas: aún no ha llegado el tren procedente de Argelès.

A mi lado, la hija de un jefe de Carabineros, dice muy seria:

—Llevo el «maillot» para bañarme en la piscina y los vestidos de noche por si se organizara algún baile a bordo.

(¡Lo que puede la imaginación! ¿Habrá creído que el «Ipanema» es el «Queen Mary»?)

En un hotel cercano dejo el equipaje. Vuelvo a la estación y a las ocho llega el tren de tercera que trae a los hombres procedentes de los campos. Se origina un gran revuelo. Las mujeres buscan a sus familiares y se sienten exclamaciones, gritos, llantos alegres, abrazos y llamadas. Paso entre los grupos de hombres, buscándolo. Rostros y rostros y él, ¿dónde está? Los gendarmes obligan a desalojar el andén y montan guardias: los viajeros que aún quedan en los vagones serán trasladados directamente al puerto de Pauillac. Sigo buscando y al fin mi nombre, dicho con emoción, brinca jubiloso en el aire. Cien ojos se clavan en mí cuando salto hacia sus brazos. No sé si llorar o reír. Los gendarmes, tras de la primera expansión sentimental, oponen su barrera infranqueable y no permiten que me acompañe. Su ensañamiento nos persigue hasta el fin. Mientras en la ciudad centenares de españoles pasean tranquilamente, los hombres de Argelès son custodiados hasta el propio puerto.

Decido visitar al señor Fernando Gamboa, en la Legación General de México. «Sotto voce» se dicen muchas cosas, pero yo deseo conocerlas por mí misma... Un vasco promete facilitarme la entrada, sin hacer «cola».

¿Qué opina usted de Casado?

La gente se apiña en el portal de la Legación. Esperan el momento de poder entrar a ultimar su pasaporte. Mientras, hablan entre sí. Algunos de ellos han sido rechazados en el buque anterior. ¿Por qué? —les pregunto. Ellos lo ignoran. Vuelven, otra vez, con la esperanza de tener mejor suerte. Si no es así, han de vivir en el «Hotel des Emigrants» hasta que, irremisiblemente, tengan que volver al campo de concentración.

Según parece, se efectúan selecciones caprichosas y unos interrogatorios sectarios, ingenuos y pintorescos. No se explica que establecido ya un porcentaje para los embarques, a base de la siguiente proporción: 33 por ciento para el sector republicano, 38 por ciento para los marxistas, 24 por ciento para el sector confederal y 5 por ciento para los sin partido, se obre en desacuerdo dando preferencia al sector comunista. La forma de selección es, por demás, absurda. Un obrero metalúrgico, me dice:

—Fíjese lo que pregunta el señor Gamboa: «¿Qué partido cree usted que ha dado mayor contribución a la guerra?, ¿Qué opinión tiene del señor Negrín?, ¿Qué opinión tiene de la Junta Casado-Besteiro?». Vamos a ver, ¿qué contesta uno a todo eso? A mí, por ejemplo, no me simpatiza ningún político, ni Negrín, ni Azaña, ni Prieto. Sobre la Junta de Defensa, tengo una opinión personal: que debió formarse mucho antes. ¿Se me va a negar, por ello, mi pasaporte y la posibilidad de rehacer mi vida, en México? Quizá sí; por lo tanto, me veré obligado a mentir, a decir que Negrín es el mejor de los hombres y el más perfecto de los políticos y que Casado, Miaja, Besteiro y Mera, así como los demás componentes de la Junta, son unos «traidores».

Es muy lamentable todo esto. Si el Presidente Cárdenas ofrece una entrada, sin limitaciones, en el país, ¿a qué motivos o intereses obedecen sus representantes? Indudablemente, el señor Gamboa no puede cometer estos actos por iniciativa personal. Existe un Embajador Plenipotenciario y éste es el señor Narciso Bassols. Alguien me enseña un periódico en el que vienen unas declaraciones del Embajador. Leo: «Los republicanos españoles podrán entrar en México sin tener que exhibir suma de dinero, sin someterse a prohibiciones de trabajar en nuestro suelo, sin tener que residir en zonas determinadas del país, y, en general, gozarán de toda libertad con la única limitación evidente de no poder dedicarse a actividades políticas que son propias de los mexicanos».

Entonces ¿por qué ya, antes de la emigración, se realizan actividades políticas? Esto significa matar las esperanzas de muchos, que es como lanzarlos a las cárceles o al muro de fusilamiento. Es ser cómplices de un delito grave, al cual tampoco se escapan los elementos españoles que intervienen conjuntamente. Una cuenta más que echar a la alforja de las desilusiones. Seguirán rindiendo los refugiados su tributo al hambre y a la muerte, en los campos inhóspitos, mientras los capitostes republicanos les remiten unas fichas en blanco y prosiguen derramando, pródigos, sobre sus cuerpos, el oro español.

Uno a uno, entran y salen los emigrados. El señor Fernando Gamboa, amablemente, me dijo, cuando pude entrar en su despacho, que dado que yo no estaba en compañía del cabeza de familia, debía trasladarme a Pauillac y allí esperar su visita que efectuaría prontamente. Eso fue todo. Cuando salía, un hombre, creo que ex obrero de los talleres de la Hispano Suiza, decía en un grupo:

—Me han rechazado, todo porque dije la verdad: que no era negrinista, como la mayoría de los trabajadores españoles y que, considerando que no iba a su país a hacer política, sino a trabajar, era absurdo que se me hiciera tal pregunta. Añadí que no podía juzgar la actitud de la Junta de Defensa porque no había vivido los hechos e ignoraba las verdaderas causas que condujeron a su creación, aunque las suponía, y volví a repetir que todo eso me parecía ilógico. No se me preguntó si era competente en mi oficio, ni se averiguó que tenía esposa e hijos que salvar de la miseria.

En la acera, un campesino aragonés, argüía en su castellano de Caspe:

—Yo fui zorro. En el momento del interrogatorio, llamémosle «confesión», se me olvidó mi calidad de libertario y mi apoyo al

Consejo de Aragón. No recordé que luché contra los comunistas en las barricadas de mayo. Me aferré a mi suelo y a cada pregunta, respondía. «Soy un campesino, nada sé de política». Al fin, me dio el papel.

Un ingeniero republicano, atemorizado, preguntaba a todos los que salían:

—¿Qué preguntas le hicieron? ¿También rechazan a los republicanos?

Solamente hay el temor del «NO».

* * *

Por mediación del mismo señor vasco que me facilitara la entrada en la Legación, pude trasladarme, en un autocar, en unión de varios campesinos recién llegados del campo de Barcarés, al puerto de Pauillac, donde está anclado el «Ipanema» y en donde se hallan las aduanas, convertidas en barracas de refugiados.

Por primera vez, no nos acompañaron gendarmes. Cuando me dijeron que el buque estaba servido por indochinos, imaginé lo malo que sería; pero la idea de reunirme definitivamente con Él, me dio ánimos para cargar con las maletas hasta Trompeloup.

Y aquí estoy. Retorno, nuevamente, a la vida del refugio. Comemos en largas mesas, como en los cuarteles, y dormimos en los *camarotes* del buque, un viejo cargo marsellés. A muchos que ignoran la irresponsable tramitación de los pasaportes, les informo de lo que vi en Burdeos. Crece la inquietud. ¿Serán rechazados o no?

El «Ipanema» es una verdadera lástima. Yo imagino los grandes cargamentos de patatas que en él irían y pienso en las ratas negras, grandes, de rabos enormes. No hay dudas: las hay a montones. Por la noche, paseamos por la estrecha cubierta y admiramos el río, alumbrado por la luna. Un marinero inglés, que habla un francés nasal, me obsequia con un ramo de flores. Está ebrio y dice que las flores son lo mejor, después del mar.

10 de junio

Estos embarques reviven, modernizado, el tráfico de carne humana. Pese a todo el inmenso capital que existe, los embarque son reducidos, limitados, las condiciones de viaje, pésimas; se da excesiva preferencia a los que se hallan fuera de los campos de concentración y, en fin, las arbitrariedades son incontables. Se admite todo, con resignación. Tras de tantos infortunios, cada cual desea partir, sea como sea. El escándalo y el comercio de la emigración lo descubren todos los ojos y lo culpan todas las conciencias, mas los labios callan. Denunciarlo sería condenarse propiamente.

Llegan, al puertecillo, Fernando Gamboa y empleados de la Legación. Cada representante de partido o sindical reúne a sus afiliados y éstos esperan, ante la oficina, el momento de ser presentados ante el secretario de Narciso Bassols. Casi todos tienen una respuesta preparada para las imaginadas preguntas. Por la contracción de su rostro, se sabe, cuando salen, si han sido rechazados o no. Todo el día se dedica exclusivamente a la selección de refugiados, como si todos no tuvieran sobre sí la misma carga de sombras y el mismo derecho a resolver su problema de vida. Por la tarde se sabe que han sido entregados pasaportes a un millar de españoles —994 para ser exactos— siendo rechazados doscientos, pertenecientes, en su mayoría, al campesinado. Esto es bien lamentable. Son los más leales, más sanos y trabajadores de todo el antifascismo español. Eso sí: no son comunistas. ¿Por qué habían de serlo?

Un *speaker* va dando órdenes, durante todo el día, para la mejor organización del embarque. Se envían telegramas y cartas. Los nombres giran en el aire, repetidas veces, como si fueran serpentinas. Un hombre agita una noticia, como una bandera. El Sub-Prefecto de un Departamento no quiere dejar salir a las refugiadas reclamadas para su embarque en el «Ipanema». ¿Cómo van a abandonarlas los familiares? Siento un brinco en las sienes: hay carta para mí. Corro a buscarla y la abro con impaciencia. Es la despedida de un amigo que se halla, enrolado, en las Compañías de Trabajadores Españoles. Me dice:

Siguen los alambres, los pies descalzos, la miseria. En mí hay, agrupados los misterios. Son tres. Corazón, cerebro y estómago.

Sangra el corazón por ese primer misterio. Españoles olvidados de todos y por todos en los campos de púa, frente al hambre y la lluvia; españoles «voluntarios» a número de rifa, en las Compañías de Trabajadores; exiliados en las rutas de América: TODOS sumidos en esa misma incógnita: España, que ya es algo más que un nombre, una patria, un lugar o una familia. Es la tierra donde se labraron, a surcos de sangre, los espíritus, esos que fueron arrojados, por millares, a los Pirineos Orientales.

La tragedia no termina en la frontera, se agiganta más y más, hasta aplastar a los héroes —tristes y hambrientos caballeros de Olmedo— triturándolos con esa máquina infernal de la separación familiar, del encierro y del mal trato. Los ataúdes desfilan ante el ejército de los hombres enterrados en vida. El grito de un loco pretende desafiar la nieve y el mar. Los labios murmuran. España. ¿Por qué es una patria, una casa, una familia? No. Es más que eso. Es nuestro corazón y éste la mira.

Matanzas por doquier. Persecuciones. Hambre. Burlas del pueblo, lamentos de los comerciantes y quejas de la aristocracia. Las marquesas se casan con los generales y los artistas, sobre los escenarios, sacuden al público con sus chistes políticos.

La carta me transmite —rosa de los vientos— su mensaje escrito en tinta cardenal:

Nos levantamos a las cinco de la mañana, a son de corneta. Sólo hay eso: trabajar, comer y dormir. Los domingos lavado general y a ¡despiojar tocan!...

No hay libertad. Los obreros de las C.T.E. construyen bien los caminos y derraman el alquitrán como si sembraran flores. Pero son los «rojos» y con cincuenta céntimos se les paga. Los obreros juegan a la baraja y cartean nombres, suena el de Juan de Borbón. ¿La sota o el Rey? Si se protesta, los gendarmes amenazan con España. Y sigue la carta:

Grande es nuestro desamparo, pero el mayor es el de nuestros hombres representativos que disfrutan de becas superiores y nos remiten respuestas sibilinas a nuestras peticiones. Resumen: nuestro horizonte actual se reduce a tópicos. Miseria, egoísmo, explotación y abandono.

No hay porvenir. Regresar a España es hundirlo todo, hasta esa pequeña esperanza de resurgir, alimentada entre fiebres y plagas. Quedarse es consumirse física y moralmente, esperar la orden de embarque y quedarse luego con un papel que dice: «Rechazado». Sólo hay un recurso, son las Compañías de Trabajadores.

Hay por lo menos, una carretera. Y para el español es ancho camino, donde se riegan anhelos, se sueñan rutas mayores y donde, al borde, en la cuneta, se tiene la trinchera o la tumba.

El porvenir clama, el futuro impele. El estómago entona su canto, al compás del corazón y del cerebro. El estómago es el bajo de esta ópera trágica. Exige, amenaza, ruge. No espera el final del drama, sino que lo precipita. Al corazón se le marchita sólo con no echarle agua, como a las flores. Al cerebro se le acalla y se le conduce, a voluntad, como a los ojos ciegos. Pero al estómago no. Él lanza, también, sus consignas de cartelón de propaganda y pide en nombre del porvenir. Mas, todos sabemos —como en las consignas fabricadas en serie— que miente. Que el porvenir es el presente: tercer misterio del desterrado.

El presente que agita su voz llamando en nombre del porvenir.

Los que partimos, rompemos la copa de los tres misterios, arrojándola al mar. Los que se quedan tendrán un día, supremo derecho, que agitar una bandera desconocida y un verbo distinto contra los que —Caín contra Abel— bañan en oro su mirada, abandonándolos en las playas de la desolación.

144

Salida de Francia

11 de junio

Ha amanecido el día gris y nublado. Las aguas del Gironda tienen un color plomizo. Las aves marinas vuelan muy bajo, por las riberas.

A las once de la mañana llegan, en un tren especial, todos los españoles que estaban en Burdeos, en el refugio nombrado o en hoteles particulares. Los procedentes de los campos de concentración, mal vestidos con restos de su ropa de soldados, en alpargatas y tostados por el sol, hacen comentarios irónicos sobre los recién llegados, a quienes llaman «la burocracia engalanada». En general, son personas que han vivido en París, El Havre o Burdeos, los cuatro meses de exilio. Por esta razón su aspecto es mucho más agradable y denota pocos o ningún sufrimiento. Hacen un rictus desagradable con la boca y contemplan el barco con desilusión. Como la duerza del ambiente impone la necesaria adaptación, acaban por deshacerse de los prejuicios y sentarse sobre los bultos. Ellos tienen, también, sabrosos comentarios. Un radiotelegrafista, decía, moviendo la cabeza:

—Si van delegados en el «Ipanema», hacen periódicos murales y pronuncian conferencias, perderemos la guerra en el buque…

Bajo una lluvia fina de verano, van embarcando los refugiados. Una discreta vigilancia de gendarmes pone orden contra posibles perturbadores extraños. A un fotógrafo, que pretende obtener vistas de los pasajeros, ya en los muelles o en el buque, le increpan y le obligan a marcharse. La policía interviene de forma leve, el fotógrafo no marcha, los comentarios toman calor de riña y al fin, una muchacha, suelta la melena y la mirada impregnada de ira, lo amenaza, clavándole los puños en la cara.

—Le romperé la cámara, le romperé la cámara —dice exaltada.

—No sabemos quién es. Acaso sea fascista —arguyen otros.

El pobre hombre, nervioso y contrariado, enfunda la cámara pero permanece en el muelle, hablando solo. La muchacha lo vigila atentamente.

Un gendarme, a semejanza de los mineros del Mediodía, me dice:

—No sé por qué las jóvenes marchan a ese país. Podrían quedarse en Francia…

—¿Y que se marcharan sólo las viejas, no?

Llega el señor Narciso Bassols; visita el buque y obtiene fotografías. Me doy cuenta de que enfoca su cámara hacia mí, cuando estoy sentada en una viga, escribiendo estas notas. Viene, a despedir a sus correligionarios, el señor José María Sbert, del Gobierno de la Generalidad de Cataluña.

Cae la noche, prosigue la lluvia, y todos nosotros, en pie, esperamos con inmensa paciencia, nuestro turno. Las maletas están empapadas de agua y los niños se duermen, como palomas angustiadas, en los brazos maternos. Sentados en las sillas, tristes, los rechazados nos miran con ojos llorosos, llenos de una emoción nueva. Ellos y nosotros, pensamos: ¡Quizá sea en el otro barco…!

El *speaker* derrama sus avisos, indicaciones y encargos, que resbalan indiferentes sobre nosotros. La larga fila de emigrados, con sus bártulos al lado, soportan la lluvia con la modorra de su cansancio. Cuando llegamos a cubierta, nos dan un número y una manta. Un marinero indochino me conduce a las bodegas, donde están instaladas las literas: mujeres a proa y hombres a popa. Mi experiencia en viajes de tercera la empleo al instante. Escojo una litera superior, coloco las maletas y subo a cubierta, con la silla y las mantas. Sólo un temporal podría hacerme dormir en los sollados. El entrepuente de primera es un magnífico sitio para colocar la silla, que será mi cama, mi comedor, mi todo. Él, a mi lado, me vigila el sueño.

Los marineros, apoyados sobre la borda, hablan hasta muy tarde de la noche. Cansada, escucho cómo cae el agua sobre el acantilado y el rumor de los que esperan su turno para embarcar. Con las aletas de la nariz dilatadas por el olor a pintura reciente, me duermo sobre la tirante lona de la silla.

12 de junio

Brilla el sol sobre el río. Unas mujeres, junto a una casita blanca, lavan la ropa con brío. Han embarcado todos los refugiados, por orden alfabético. Se anuncia la salida. Unos gendarmes, soñolientos, pasean a todo lo largo del espigón. Son la última visión del «Allez, allez», la última estampa del militarismo francés. Vuela el pensamiento hacia los que quedan encerrados en la arena inhóspita de las playas de los Pirineos Orientales. El único representante que nos despide, en esta mañana cubierta por una neblina de fin de primavera, que el sol deshace con sus rayos dorados, es Fernando Gamboa. Los demás han regresado, por la noche, a Burdeos y no han regresado, todavía, en el momento de la partida.

Voces portuarias se escuchan entre las cuerdas y las máquinas. Se eleva el ancla, con estrépito, y la sirena del buque entona su preludio de despedida. Los rechazados se agrupan en el muelle con los nervios tensos y los ojos llenos de lágrimas.

Cuando el «Ipanema» se aleja del espigón, unos y otros lanzan tres gritos:

—¡Viva México! ¡Viva Cárdenas! ¡Viva la República!

Nadie dio un hurra a Francia.

Cuando el barco abandona el lecho del Gironda para adentrarse en el Golfo de Vizcaya, pienso qué absurdas e inesperadas situaciones conducen al viaje —invitación al destierro— lanzándonos lejos de la tierra nativa. Bien decía Goethe que «nunca se va más lejos que cuando no se sabe a dónde se va».

Mensaje a Galicia

13 de junio

El «Ipanema» ha ido bordeando toda la costa cantábrica, tan de cerca, que en el horizonte se dibujaban las montañas gallegas. Es la primera y última visión material que tienen las pupilas desde el paso a Francia.

El panorama español ha dado lugar a un acto sencillo y emocionante. Varios jóvenes gallegos, marinos en su mayoría, cuando el buque pasaba a la altura del Cabo Finisterre, se reunieron en el puente de babor, a la caída de la tarde. En un círculo y con el mayor recogimiento, se leyó el texto siguiente:

> A vista do Fisterre, recibe, pobo galego o saudo garimoso dos que niste intre dooroso van care o exilio. Non perdades esperanzas, mantede o esprito ergueito que non tardará en cair o treidor que perante tres anos encheu de mortos Galiza e de loito os seus fogares.
>
> VIVA GALIZA CEIBE. VIVA REPUBRICA. ABAIXO FRANCO.[7]

A continuación se encerró el texto, enrollado, en una botella, la cual fue lanzada al mar, mientras doce o quince voces entonaban el himno galaico. Con este acto humilde se ha expresado el cariño de unos hombres a las costas de donde los arrojó la traición. No ha sido una manifestación de patriotismo regional, sino el símbolo de amor y sacrificio de quienes aman el trabajo y la

---

7. A la vista del Finisterre, recibid, pueblo gallego, el saludo cariñoso de los que en este instante doloroso van cara al exilio. No perded esperanzas, mantened el espíritu alto, que no tardará en caer el traidor que durante tres años llenó de muertos Galicia y de luto sus hogares. VIVA GALICIA. VIVA LA REPÚBLICA. ABAJO FRANCO.

tierra. Algún pescador del Norte recogerá mañana, entre las redes, esta botella, y su mensaje será para todos los antifascistas, un mensaje de luz y de esperanza.

La saudade del emigrante revive en los corazones, mas ya no es aquella nostalgia celta que llenaba los paisajes de América de romerías y trajes típicos. Estos hombres no han dejado el terruño miserable en que vivían en busca del oro de Indias. Lucharon por él, por mejorarlo, por liberarlo y su sangre ha dejado marcada la epopeya. No sienten tristeza de la patria, sino del pueblo condenado a la ignominia.

Los vascos han formado un coro, y así mismo los catalanes, quienes se reunen, ya a proa o a popa, para cantar «L' Emigrant», «El Cant de la Senyera», «Montañas del Canigó» y la graciosa canción de «San Pere Galari».

14 de junio

La organización interior del buque es defectuosa. Los principales conflictos nacen de la falta de lugar, de lo que pudiéramos llamar «espacio vital». Como no existen comedores, el millar de pasajeros se reparte en grupos de diez, hacen largas «colas» para la comida y se acomodan, cada cual, con su plato, en donde haya un rincón apropiado. Así no queda bodega, cubierta, puentecillo, escalera y pasillo donde no se agrupe la gente. Los propios pasajeros han de lavarse los platos. Las duchas son insuficientes, en las literas es imposible estar y, al fin, muchas personas acaban por subir las colchonetas a cubierta y buscarse otro rincón para dormir. En proa se han formado, con mantas, una especie de «chavolas». Durante el día toman el sol, con el pecho al descubierto. Se le denomina «el paraíso recobrado».

Yo, todavía, no he bajado al *camarote*. Prefiero dormir en la silla o sobre un banco, en el entrepuente, de espaldas al mar, reposado y tranquilo. Haber cruzado tres veces el Atlántico no me evita el mareo.

Las dificultades elementales para la vida en el buque originan innumerables conflictos, a veces, muy difíciles de solucionar. Hay protestas por la comida, por los camarotes de primera, por el comedor de idem, por el reparto de ropa y por —lo más justificado— la falta de alimentos y medicinas adecuadas para los niños. Muchos se enfer-

En los camarotes es imposible estar y, al fin, mucha gente acaba por subirse las colchonetas a cubierta y buscarse otro rincón para dormir. En proa se han formado, con mantas una especie de «chavolas».

man y esto engendra escenas desagradables. La excesiva aglomeración de gente y la imprevisión inicial es causa de ellas. Se nos ha lanzado al mar como en las tragedias bíblicas. Un barco, un poco de agua y una canasta de víveres. Por camino el mar y por cielo, la fe de cada cual. Fe de resurgir, de trabajar, de luchar, de volver.

Sobre cubierta, los hombres hablan a corro, hasta la una y las dos de la mañana. Se exaltan, pelean y la frases semejan impregnadas de sangre. Ellos vienen del mundo de la guerra y ya lo dice el viejo axioma: «Cerbero tenía tres voces, pero la guerra tiene mil». Esas mil voces, mil lenguas, de la guerra, se escuchan en la noche.

15 de junio

Se hace, a bordo, un diario de información y propaganda. Se titula, como el propio barco: «Ipanema». Lo redactan periodistas conocidos, que han dirigido y colaborado en periódicos de Madrid, Barcelona y Valencia. Utilizan la política del Frente Popular, a veces, con un velado sectarismo partidarista.

Aparecen algunas hojas de oposición. La primera se titula «La Ruta de las Anguilas». Las siguientes llevan nombres alegres como éstos: «La voz de las Bodegas», «El Tiburón» y «El Sargazo».

En esta segunda expedición a México va de todo: obreros, marinos, intelectuales, artistas, profesores, campesinos y un elevado tanto por ciento de «burocracia». Existe, entre los emigrados, un señor que ejerció un alto cargo de investigación militar, durante el último periodo republicano. Aquí con la familia y sus pequeños detalles caseros, parece un pacífico y honorable caballero. Sin embargo, alguien me dice que lleva encima una elevada cantidad de dinero. Ignoro si es de índole personal o pertenece a un partido. Hay otro tipo, exótico, alto, con mirada enigmática. Lleva siempre un pijama a rayas y cuando anda, lo hace con lentitud, como el jaguar que espía la caza probable. ¿Quién es este hombre?

Pero el buque navega, impertérrito, ajeno a las pequeñas tragedias que se desarrollan en su viejo vientre de cargo marítimo. Cielo y mar, y mar y cielo.

16 de junio

A uno de los campesinos que parecen incrustados en popa, le pregunto qué piensa hacer a su llegada a México. Me responde:

—Yo voy a trabajar, a rendir un trabajo positivo a la nación que nos acoge. No soy nada más que un campesino. La tierra inexplotada de cualquier Estado mexicano será tratada con el mismo amor y entusiasmo con que durante años labré la tierra aragonesa, árida y re-

151

cia. Mi única moral es ésa: la del trabajo. Falta, solamente, que allá los hombres responsables sean más humanos y honrados.

En conjunto, toda es gente de espíritu activo y ansiosa de reorganizar su vida destrozada. Aviadores, músicos, maestros, radiotelegrafistas, escritores, mecánicos y campesinos, todos deseamos volver a ser lo que éramos y, si es posible, mejores.

La gente se debate en agudas polémicas que los marinos indochinos contemplan con sus ojillos misteriosos. Muchos emigrantes ayudan a los tripulantes en sus faenas diarias, así como en la cocina, la panadería y el reparto de víveres. La comida, más que mala, es una mezcla de toda clase de viandas e ingredientes de toda especie. El jefe de cocina, que jamás dirigió un barco de pasajeros, no sabe qué «menú» escoger y así comete los mayores errores.

Yo vuelvo a recobrar la seguridad que siempre había tenido y que perdí en los cuatro meses de exilio en Francia.

La hélice rota

17 de junio

Una avería ha venido a turbar, con toda su gama de inquietudes, la relativa tranquilidad del viaje. Al anochecer, cuando los emigrados conversaban sobre las barandillas, se sintió un choque violento y, desde entonces, una trepidación constante y uniforme. Parece que estamos bailando la rumba… La versión oficial, dada por el capitán, un astuto negociante francés de Perpignan, dice así:

> Hacia las 19 horas el navío sufrió un choque. Una de las palas de la hélice acababa de tropezar contra un cuerpo duro, siendo imposible precisar cuál sea éste.

El radiotelegrafista —que cuando no está Él delante suele dedicarme frases amorosas, acaso por aquello de «en cada puerto un amor y en cada barco una mujer»— me dice que las radiodifusoras españolas aseguran que el «Ipanema» ha naufragado en medio del Atlántico. La verdad es que la velocidad del barco disminuye notablemente, exaltando los fáciles temores de los pasajeros. Sin embargo, se hacen comentarios humorísticos y empieza a llamarse a la travesía «el viaje infinito».

El Diario de a bordo publica unos acertados «Ipanemismos», llenos de amenidad y gracia. Algunos dicen así:

> Cantando se lleva bien la travesía. Hay mujeres que no tenían voz y con la emoción del viaje les ha nacido un ruiseñor en la garganta.

> La Proa está ocupada por la juventud radiante y gimnástica. Debajo del Puente se reúnen los filósofos enamorados de la Naturaleza. Las cubiertas son los pasillos del Congreso y un poco de playa de San Sebastián. En la Popa están las masas ardientes. El comedor viene a ser una especie de Casa del

Pueblo, a juzgar por su movimiento de Directivas. A los niños —los niños más guapos que se han conocido— les encontramos por todas partes.

No hay instrumentos de música en el barco; pero hay voces conjuntas muy bien entonadas. ¿No las oís? Murmuran. «Libertad para España». Y la buscan allá, en donde parece que termina el mar. Y la encontrarán.

Se lee, con mucho interés, una sección titulada: «¿Conocéis México?», que describe las características y particularidades del país.

Cuando el sol declina en el horizonte y el cielo toma brillantes tintes de rojo vivo y otro fuerte, los coros empiezan a cantar. Sus voces resuenan en medio del mar, como una caricia a las olas. Junto a mí llora, enternecido, un viejo catalán, a quien la gran tragedia española lleva a México, con la carga de sus sesenta años y la compañía de sus tres hijas. El recuerdo de ese pedazo de España que baña las aguas del Mediterráneo y que las huestes romanas hollan en sangre, han conmovido el corazón de este patriota que ama por encima de todo, hasta el resto de España, sus cuatro provincias, dos de ellas montañosas y bravías, las otras dos suaves y cultas.

20 de junio

Entramos ya en el Mar de los Sargazos, mas, aunque se había anunciado, en la superficie límpida, no aparecen las algas marinas.

La temperatura es mucho más alta y el temperamento de algunos pasajeros sube también, de grado. Junto a nosotros han peleado dos hombres y luego el agresor ha comprobado que hubo un error: confundió los lentes. Ahora todos los pasajeros que los usan dicen que se los quitarán, en prevención.

Hay una cuestión esencial y suprema en todos nosotros: llegar. Los ojos se clavan, día a día, en el horizonte, buscando la orilla oscura y ondulante que le preludien la tierra. Y muchas veces, las nubes bajas y lejanas, recortándose en el horizonte, semejan la costa de alguna isla perdida en el mar. Como un espejismo, cualquier visión difusa ilumina la esperanza.

El «Ipanema» navega calmosamente, trepidando. Los enmigrados, vestidos de azul marinero, quisieran infundirle su ansia y el ritmo de sus pensamientos. Muchos no saben amoldarse al destino y llenan los pasillos de quejas y de críticas. Otros callan, no porque quieran callar, sino porque no es llegada la hora de hablar.

24 de junio

El buque ha reducido su velocidad de doce millas por hora, a seis. El radiotelegrafista de a bordo, está en continua comunicación con otro buque de la misma compañía, el «Mont Everest». El capitán tiene un rostro impasible, pero los mecánicos y marineros con una movilidad que nos parece sospechosa, andan de un lado a otro, llenos de órdenes, de cuerdas y herramientas.

—¿Hay peligro? —interrogan las mujeres.

—No, esto no es nada —contestan riéndose.

Sin embargo, hoy se ha anunciado al pasaje, por medio del Diario de a bordo, que el «Ipanema» hará escala forzosa en la isla de la Martinica, donde existe un dique seco, necesario para arreglar la rotura de la hélice y así poder efectuar el resto del viaje con las máximas garantías de seguridad.

Se dice que la isla es muy bonita y la fruta colma de color y perfume los campos martiniqueños.

Desde mediodía, comienzan a verse diversas especies de aves que revolotean alrededor del buque. Poco más tarde, los pasajeros se agolpan a estribor, al grito de ¡Tierra! A la una de la tarde, pasamos a una milla de la isla de María Galante; a las nueve de la noche a dos millas de la Dominica. Las palmeras se elevan, majestuosas, sobre la tierra cobriza. La configuración de las islas denuncia su origen volcánico.

Por la noche, los poblados, llenos de luz, refulgen en la oscuridad. Unas barcas de vela, extienden sus redes sobre el mar, alumbrado por una luna clara y bella que riela en las aguas negras.

Panorama tropical

Por la madrugada, el «Ipanema» atracó, a una sola ancla, frente a Fort-de-France, capital de la Martinica, la bella tierra que diera a Francia la belleza y la liviandad de la Emperatriz Josefina, la picardía de la Maintenon y la astucia de Amada Dubuc de Rivery, la Sultana Validé.

Durante las primeras horas de la mañana, los pasajeros, tras de catorce días de cielo y agua, se han embebido en la contemplación de uno de los paisajes más bellos de América. Vegetación exuberante, mar de añil intenso, sol brillante y montañas rojizas. A lo lejos, el alma, más que la vista, descubre la inmensa mole del Mont Pelée, volcán tristemente célebre que destruyó completamente la ciudad de Saint-Pierre en su penúltima erupción y que se ha vuelto a construir, pese a la erupción de 1929, ganados quizá por la belleza misteriosa de esa montaña pelada que domina la «sabana de las petrificaciones».

Las barcas, tripuladas por negros sujetos a la dominación francesa, se acercan a los costados del buque. A media mañana, el proceso de excitación nerviosa, contenido durante la travesía, empieza a manifestarse, como fruta en descomposición. A quinientos metros de la tierra, el hombre se siente más fuerte, superior a ella, y lanza la voz de su poderío. La adquisición de frutas origina el mayor escándalo del viaje.

Una negra alta, con largos collares y pendientes dorados, tocada de pamela tropical, salta de una barcaza al buque con su cargamento de frutas. Parece que tenga el monopolio frutero de la isla. Los negros, vestidos escasamente con un blanco pantalón, la obedecen prontamente. Con su andar cadencioso y el ritmo de sus collares al caer sobre el pecho erecto, cautiva la atención de los emigrados.

Ella es la primera representación del Nuevo Mundo en los pasillos del «Ipanema».

Tras de la visita aduanera, el buque ha girado en redondo, acercándose al dique. Tan pronto ha fondeado, ha sido dada la orden de desembarco para que pueda ser reparada la avería. Pero esto es —¡aún!— colonia francesa, el Gobernador de la isla ha dado solamente permiso para que los españoles paseen por el recinto, cercado, de los astilleros. En la puerta, unos gendarmes hacen guardia. Tras de las rejas, grupos numerosos de martinicos muestran su interés por confraternizar y acuden a diversos medios para burlar la vigilancia. Los que entran, traen algunos periódicos editados en Fort-de-France, tales como el *Courrier des Antilles* y *Nouvelle France Coloniale*.

En pocos momentos se han llenado los astilleros de vendedoras de fruta, helados y muñecas típicas, que venden, con alegría y hasta, a veces, regalan, si el español no tiene dinero. Un mundo nuevo se abre ante las pupilas de los negros. Hay en ellos, un noble afán de conocer detalles: todo lo ignoran. Y en buen francés, se les habla de quiénes somos y a dónde vamos. El emigrado no ve otra cosa en el hombre negro de la Martinica, que un esclavo siglo XX, explotado por el imperialismo colonial, y con sinceridad, le abre los brazos fraternales. Con honor y orgullo, los exiliados saludan al nuevo panorama en el corazón de sus habitantes, que es el corazón de la isla. Y ellos, con el espíritu abierto hacia los blancos que les sonríen y les brindan su abrazo o su mano, sin ficciones, comparten con todos los emigrados el jolgorio de la gran fiesta de confraternización.

Las autoridades civiles en su afán de atenuar la orden del Gobernador —prohibición de libre desembarco— ofrecen toda clase de facilidades para que la estancia en la isla sea lo más agradable posible. Y prometen obsequiarnos con sesiones de cine, conciertos y bailes, como actos de simpatía y afinidad de ideal. Varios escritores y poetas martinicos visitan a los intelectuales de a bordo, dedicando ejemplares de sus obras, con amables frases y noble sentimiento. Estudiantes indígenas y franceses cruzan la ría en pequeñas canoas y llegan hasta el «Ipanema», a compartir las horas amables, saludar a los estudiantes españoles y preguntarles sobre cosas de España. Una auténtica camaradería llena todos los ámbitos y de ella ya llegan rumores al interior de la población.

¿Así son los frailes?

27 de junio

Al caer la tarde, efectuó ayer una visita un fraile francés, de castaña barba y sandalias carmelitas, prometiendo traer al día siguiente, o sea hoy, la banda de música formada por sus alumnos. Y así ha sido. En un principio, la mayoría temió que pretendiera hacer propaganda de su religión, entre aquellos que la propaganda fascista tildaba de gente inhumana, llena de crueldades y manchada de sangre. Esta primera impresión, desapareció completamente, cuando el religioso llegó a los astilleros en compañía del director de los pequeños músicos negros. A modo de saludo, una salva de aplausos atronó el recinto, a lo cual el religioso correspondió con risueñas inclinaciones de cabeza.

Los emigrados se agruparon en torno, rodeando a la infantil banda de música, que interpretó bellísimas composiciones, exaltando la sangre española y llenando sus miembros de ritmo y de ansia. Espontáneamente, se improvisó un baile popular entre los emigrados y las naturales del país. El fraile, en distintos grupos, interrogaba sobre motivos de la guerra española; oficiales, gendarmes, intelectuales y los propios tripulantes del buque, contemplaban, con ojos atónitos, cómo los «blancos» bailaban danzones y rumbas con las esbeltas y bellas negras de la Martinica. Éstas, por vez primera en su historia, eran tratadas de igual a igual, compartiendo las alegrías de los blancos. La boca, reventona, se agrandaba en una sonrisa blanca, que brillaba, clara, entre la carne negra. Sonreían como nunca lo hicieron, amplias y pródigas. Y como nada tienen que ofrecer, se ofrecen todas, cuerpo y alma, a los hombres de los campos de concentración.

Cuando la noche comenzaba a caer sobre la isla, el coro catalán cantó varias canciones regionales, que el fraile escuchó con atención. Dado por terminada la fiesta, el público aplaudió, calurosamente, a los niños y su director, estrechando, con simpatía, la mano del fraile que demostraba estar muy conmovido.

Una lección para todos aquellos que habían creído las mentiras de la propaganda fascista. Un ejemplo de limpia solidaridad humana. Los hombres, junto al mar, se hacen sólo hombres y desaparecen las religiones, las filosofías, las clases. Dios se hace hombre también y abandona el estiércol de su pesebre paritario. Los que vienen del mar, jamás serán esclavos. Prefieren el destierro a la ignominia.

28 de junio

El anecdotario del exilio se enriquece con detalles interesantes, demostrativos de la acción y reacción de los emigrados. Esta mañana, un español discutía con una negra, blanda y despeinada, el precio de una piña. Ella pedía cinco francos y él ofrecía tres. Sus palabras eran altisonantes y tenían ese calor de las polémicas de mercado. Un gendarme, fusil al hombro, se acercó, reprimiendo a la martiniqueña por el precio abusivo. Como la negra protestara, entre dientes, el gendarme la insultó soezmente, la empujó hacia atrás, haciéndole perder el equilibrio y como aún protestara, de una patada, le arrojó, al suelo, todo el contenido de la gran cesta. Aguacates, mangos, piñas, mamoncillos y plátanos rodaron por la arena, llenando de perfume el ambiente.

Ante esta violenta actitud, el español sintió una oleada cálida dentro de sí. Su instinto resurgió, volcándose, con agria viveza, en bellísimas palabras. Por su mente pasaron todas las vejaciones sufridas por sus compatriotas en los campos de concentración y las desdichas se convirtieron en verbo. Le escupió al gendarme sus verdades:

—¿Por qué maltrata a la negra? Es una mujer como todas las mujeres, como las inglesas y como las francesas; quizás mejor que ellas, más humana, mas sencilla, mas buena. Su risa es franca, su mirar, sincero; su gesto, tranquilo, ¿por qué la enseña a odiar?

Y ante los ojos asombrados del gendarme, que no comprende esta reacción, y de las negras que se fueron agrupando en derredor, esta especie de Quijote, encarnado en un refugiado español, paga a la semiesclava del imperialismo galo, todo el precio de la mercancía.

Los representantes de algunos partidos comentan:

—Es un hecho lamentable ¿qué dirán las autoridades de nosotros?

—No importa lo que digan y piensan las autoridades. Si no fuera así ¿qué dirían los negros de nosotros? ¿Para qué tanta lucha, tanta sangre, tanta muerte y tanto desterrado? Si no fuera así ¿por qué estar aquí? —diría yo.

Otra escena, conmovedora, fue cuando la vendedora de muñecas de color, engalanadas con el traje del país, ofrecía su mercancía a una madre que arrastraba a una niña de cada mano. Pide por ellas treinta o cuarenta francos. Las niñas se quedan absortas, mirando la muñeca. Es bella: tez morena, amplia falda de colores, lazos rojos y el pañuela, sobre el pelo rizado, anudado en tres puntas, a la usanza martinica. La madre, por signos, dice a la negra que no tiene dinero. Cuando los corazones hablan, cuando las almas se entienden, la mímica es superior a la palabra. La cara de la vendedora se transforma, le brillan los ojos, sonríe, y en un gesto tierno, maternal, da a las niñas la mulata vestida de colorines.

Se ha sembrado simpatía y cariño entre los de la raza de color y esto siempre rinde sus frutos humanos. ¡Lástima que esta raza tenga que ser utilizada en la próxima guerra como carne de cañón!...

Se anuncia para mañana la partida, continuando el rumbo hacia México. Se ha verificado el cambio de la hélice y mañana, por la tarde, el «Ipanema» reanudará el viaje, zarpando de Fort-de-France hacia la isla de Santo Thomas, escala prevista, donde se proveerá de petróleo. Rápidamente, los pasajeros hacen compras, dilapidando el dinero, aquellos que mucho llevan, en ron, piñas, muñecas, sombreros de paja y abanicos.

Me encargan redacte un saludo de los libertarios españoles a todos los antifascistas del «Ipanema». Así lo hago y éste sale publicado en el Diario de a bordo, con bastante retraso. Un párrafo dice así:

Vamos a plasmar en aplicaciones prácticas, el anhelo liberador que siempre nos ha impulsado. Con responsabilidad y conciencia. Un mexicano, Amado Nervo, lo dijo ya: «Somos de raza de águilas y raza de leones. Tengamos esperanza. Nuestro destino empieza»...

Un adiós verde

Los estudiantes de la Martinica han dirigido un mensaje a la juventud española, en respuesta al remitido por los nuestros. Como dice un «ipanemismo»: «Nosotros no hemos ido a la villa, pero la villa ha venido a nosotros».

Anunciada la salida para la una de la tarde, se ha agrupado mucha gente alrededor del Astillero. Muchos han llegado hasta el último pilote del muelle, para darnos la última prueba de afectuosidad.

La sirena del buque ha lanzado su bramido tristón y el barco, lentamente, ha salido del dique que durante tres días albergó su húmedo vientre. Los negros agitaron, en el aire, sus sombreros pajizos y las negras los pañuelos chillones. Una vendedora de frutas, levantó sobre su cabeza las puntiagudas hojas de una piña. Era un adiós verde, color de esperanza. La despedida tropical era como un símbolo de fraternidad, bajo la caricia del sol antillano y frente a la ruta de Colón. El saludo del esclavo moderno al protagonista de la Odisea.

Los pasajeros cantaron diversos himnos populares. Sobre una piedra, una martinica del interior, que había venido desde su aldea atraída por las noticias que de los viajeros se divulgaban, lloraba sobre su sombrerito de paja ocre. Ignoraba que había habido una guerra de tres años en España y que un millón de hombres había perecido en la contienda. Alguien dio vivas a la libertad y a la Martinica.

Apenas el «Ipanema» se adentró en la redonda comba de la bahía, un hidroplano aterrizaba a pocos metros. El choque parecía inminente. El buque se ladeó en brusco movimiento y quedó encallado, en un banco de arena. Volvíamos otra vez a la aventura.

La imaginación y el humorismo ibérico se manifestaron prontamente. Cuando tres remolcadores fallaron en sus intentos de remolque, un joven planeó:

—Pondremos un telegrama a Popeye, el marinero, y este buque saldrá fácilmente del banco de arena.

—Yo creo que por aquí anda alguien —acaso el capitán— que pertenece al P.O.U.M. —arguyó otro irónicamente.

Un viejo cargo francés, el «Mont Everest», tras seis horas de lucha, ha conseguido, con la ayuda prestada por los tripulantes del «Ipanema», la subida de la marea y los medios propios del buque embarrancado, sacarlo a flote. A bondo, se cantan cancionetas humorísticas, con música de «La Cucaracha».

Cuando el barco toma rumbo hacia la isla yanqui de Santo Thomas, todavía, en el muelle, unas mujeres de color, agitan sus pañuelos. Ni ellas ni nosotros olvidaremos jamás la emoción de estos tres días: verbena española bajo el sol del Trópico.

1º de julio

Sobre la mesa de refugiados diseminados por todo el buque, el calor derrama una ola de laxitud. Modorra, ganas de mecerse en una hamaca, bajo una palmera, con la mente puesta en un punto lejano: España. La islita norteamericana aparece ante nosotros con menos encanto primitivo. No hay senderos polvorientos donde se enroscan las víboras, ni hay casitas de paja bajo los árboles, ni caballos criollos relinchando en el galope.

Casas modernas, de teja roja, parterres exóticos, negros que hablan inglés y levantan el sombrero con un: *¡Hallo, hallo!* Y, sin embargo, lo mismo que los otros negros, que hablan en francés, éstos sienten, a nuestro paso, una vibración rebelde. La sangre negra, clamando por su libertad.

El negro y espeso chorro de petróleo cae sobre el vientre del barco. Por la escalerilla descienden varios españoles. Uno se aleja, con fingida indiferencia: cuando el «Ipanema» navegue en alta mar él soñará con New York o Washington en la estación de policía.

Unas horas escasas y otra vez al mar.

Las mujeres hacen proyectos, llevan vestidos claros y su frente se eleva, digna, frente a todos los sufrimientos pasados y los del porvenir.

3 de julio

El mar tiene un interés mayor: hay delfines y tiburones. Lindas puestas de sol y la atracción de las islas cercanas. Como si fueran cohetes, por la noche, refulgen los faros de Puerto Portland, en la isla de Jamaica. Como en sueños, recuerdo al jamaiquino, barrendero de la calle donde se hicieron serios mis juegos infantiles, cuando, ofendido, decía:

—«Mi» no ser jamaiquino, «mi» ser inglés.

Un poco más allá: Cuba, donde nací y en donde se hizo lozana la flor de mi vida.

Han pasado muchos años desde entonces. La dictadura machadista arrojó a mi familia sobre las costas nativas y ahora vuelvo yo, huyendo de los iscariotes, al continente patrio. Éxodo tras éxodo.

Los viajeros, en grupos, se comunican sus impresiones, sus proyectos, sus iniciativas. La versión oficial del «Ipanema» dice que «dado que se navega en la zona de corrientes marinas favorables, el buque desarrolla una velocidad superior a trece millas y media por hora».

Pronto pasaremos a la altura de las islas de los Caimanes, luego los bancos de Campeche, para entrar en el Golfo de México.

Un niño nace y otro muere

5 de julio

Tras de tantos días de convivencia con personas buenas y malas, egoístas o no, sin dormir apenas, una anhela el reposo y el silencio. Sobre el puente principal los periodistas tienen un espacio toldado, donde descansan del ruido de las bodegas y el escándalo de los pasillos. El capitán me permite dormir allí, sobre la colchoneta. Al fin, puedo respirar en la noche. Mas, como llevamos el llanto sobre el llanto, un periodista, hombre o siervo, ha quitado valor a esta pequeña concesión material, con unos comentarios mezquinos. Con palabras insultantes me ha negado el pequeño espacio que ocupo. Su esposa, próxima a dar a luz, en un camarote de primera, no inquieta su sueño. Dolorida, exaltada por lamentos ajenos y propios, lloro sobre la madera alquitranada. Mis nervios se desatan y pienso que este hombre no debía haber salido de España. Aquella es su patria: la de España hollada por el sable y el látigo. Nuestra España es la del éxodo, la del sufrimiento, la de las lágrimas.

Un conejo duerme, en su madriguera, sin que nadie, ni el cazador furtivo, turbe su sueño. Y se enrosca la serpiente en el árbol y el pájaro vuelve a su nido. A mí no, a mí, otro emigrado me niega el aire y el suelo, sobre el techo donde conviven, hacinadas casi mil personas. Sueñen las muchachas del mundo con su príncipe blanco, duerman las madres de Europa, de Asia, de América y Oceanía a sus hijos, sobre tules y encajes; dancen en Londres y en Viena, al compás de un violoncelo. Sonría la obrera a la salida del taller, sueñe el prisionero sobre su camastro de celda. Yo no. Yo soy menos que todos ellos. La Sinfonía del Viejo Mundo viene persiguiéndonos como una sombra. Egoísmo, mezquindad, inconsciencia.

Por una casualidad muy digna de anotarse, este hombre ha sido padre por la madrugada. Una voz ha dicho, bajito y apremiante a la vez:

—Venga pronto, pronto…

Contrastes humanos: horas antes me negaba el derecho de asilo, que es un derecho de vida y ahora nace un niño como fruto de sus pasiones. Paradojas.

Sobre la luz de una nueva vida, la sombra de la muerte tiende su amargura sobre otro niño. Agoniza. Sobre el llanto de unos padres, se escuchan los gritos de una madre. Es una canción de vida y muerte sobre nuestros recuerdos de penas, de sangre, de guerra. La lista de pasajeros figurará con el mismo número. Nada ha variado. Pero, sin embargo, nos recoge la pena de ese pequeño ataúd que va a bordo.

Epílogo

7 de julio

En el Diario de a bordo viene, bajo la observación de «muy importante» este aviso:

Es necesario que en la mañana de hoy, desaparezcan de las cubiertas, puentes, toldillas, castilletes de proa y popa, etc., las mantas que, bien extendidas por el suelo o en forma de tiendas de campaña, hay en los mencionados lugares. Igualmente deberán ser restituidos a las literas los colchones, que fueron subidos por algunos pasajeros, durante la travesía, para descansar al aire libre. Hoy, a media tarde, llegaremos a Veracruz, y es preciso evitar en ciertos lugares del barco esa sensación de campamento que ha tenido durante la travesía.

Es como reprochar al millar de personas la licencia de subirse las colchonetas a cubierta y recordarles, una vez más, que aunque han venido como salsa embotellada, tienen el deber de representar la comedia de la dicha y el agradecimiento a quienes, con todo el Tesoro republicano en sus manos no han hecho otra cosa, en seis meses, que fletar un barco.

Hemos pasado ya el último Banco de Campeche, el llamado Alacrán, así que la primera tierra que veremos será Veracruz.

Faltando estrictamente diez minutos para las cinco de la tarde, el «Ipanema», fondeó en el lado Norte del puerto de la Veracruz. ¡Hemos llegado a México!...

8 de julio

Los pasajeros, muy de madrugada, se han vestido con sus mejores ropas. Algunos saborean piñas, que manos fraternales han subido a bordo. El viejo catalán, a mi lado, llora, conmovido. Estamos al fin de una etapa y en el pórtico de una vida nueva, que renace, el alma se dilata en una emoción nueva.

La banda de música «Madrid» interpreta, al costado del buque, el Himno Mexicano y el de Riego. Suben los empleados de Sanidad y Migración y tras ellos los periodistas. Sobre las barandillas, los refugiados han colocado unas banderas mexicanas y unos cartelones que dicen. «Viva México», «Viva el Presidente Cárdenas». Las delegaciones sanitarias y migratorias despachan rápidamente el pasaje. Cuando el doctor me pregunta si estoy vacunada, por toda respuesta le muestro las tres enormes cicatrices que se hunden en mi pierna.

—¿Fue un médico o un bárbaro? —me dice.

—Fueron los bárbaros —respondo.

El único mexicano que venía a bordo, desembarca con una alegría sorprendida. En Francia estuvo confinado en los campos de concentración y sufrió los mismos martirios y vejaciones. Se anuncia el desembarco para las diez de la mañana. Los emigrados seremos trasladados a otro buque: el «Manuel Arnús» o a la Escuela Prevocacional. En el muelle, organizaciones obreras saludan con banderas y cohetes. Alumnos de diversas escuelas y público en general forman una especie de valla, desde la salida del muelle hasta los almacenes de Sanidad, donde se realiza la revisión de equipajes.

En primer lugar, se hace el traslado de los enfermos y el cadáver del niño muerto. Y, como un símbolo, la primera pasajera en bajar al muelle es una niña, la cual es saludada con grandes aplausos por la gente que llena los muelles. A continuación lo hace el resto del pasaje.

Se pisa tierra mexicana. Venimos con la ilusión de empezar una vida deshecha por los horrores de la guerra. Somos todos pobres. Traemos solamente el recuerdo de las cosas que quisimos formar y que se perdieron en la guerra o en el éxodo. Nos queda el alma, elevada y purificada por las angustias del exilio, el afán de recobrar lo perdido, para nosotros y para aquellos que gimen bajo el manto fatal de la tragedia.

Cuando emprendo ruta, bajo el cielo del puerto jarocho, hay una intensa emoción en mi corazón y un recuerdo hacia los que aguardan, en los campos inhóspitos de Francia, el horizonte de una nación libre.